DU MÊME AUTEUR

Aux Éditions Gallimard

LORSQUE LOU, 1992. *Illustrations de Miles Hyman* (« Futuropolis/Gallimard »).

SOTOS, *roman*, 1993 (« Folio », *n° 2708*).

ASSASSINS, *roman*, 1994 (« Folio », *n° 2845*).

CRIMINELS, *roman*, 1996 (« Folio », *n° 3135*).

SAINTE-BOB, *roman*, 1998 (« Folio », *n° 3324*).

VERS CHEZ LES BLANCS, *roman*, 2000 (« Folio », *n° 3574*).

ÇA, C'EST UN BAISER, *roman*, 2002 (« Folio », *n° 4027*).

FRICTIONS, *roman*, 2003 (« Folio », *n° 4178*).

IMPURETÉS, *roman*, 2005 (« Folio », *n° 4400*).

MISE EN BOUCHE, *roman*, 2008 (« Folio », *n° 4758*).

Aux Éditions Bernard Barrault

50 CONTRE 1, *histoires*, 1981.

BLEU COMME L'ENFER, *roman*, 1983.

ZONE ÉROGÈNE, *roman*, 1984.

37°2 LE MATIN, *roman*, 1985.

MAUDIT MANÈGE, *roman*, 1986.

ÉCHINE, *roman*, 1988.

CROCODILES, *histoires*, 1989.

LENT DEHORS, *roman*, 1991 (repris en « Folio », *n° 2437*).

Chez d'autres éditeurs

BRAM VAN VELDE, *Éditions Flohic*, 1993.

ENTRE NOUS SOIT DIT : CONVERSATIONS AVEC JEAN-LOUIS EZINE, *Presses Pocket*, 1996.

ARDOISE, *Julliard*, 2002.

DOGGY BAG, *Éditions 10-18*, 2007.

LUI, *Éditions de l'Arche*, 2008.

IMPARDONNABLES

PHILIPPE DJIAN

IMPARDONNABLES

roman

GALLIMARD

Je savais parfaitement qu'elle n'était pas là. J'écoutais *Pastime Paradise*, la voix merveilleusement pleurnicharde et rauque de Patti Smith, et je regardais l'avion d'Alice atterrir, lourd et vibrant dans un soleil de fin d'été orangé, encore chaud, sachant très bien qu'elle ne s'y trouvait pas.

Je n'avais pas, d'ordinaire, ce genre de prémonition – on me le reprochait presque –, mais ce matin-là, j'avais averti Judith que notre fille ne serait pas dans l'avion et qu'il valait mieux attendre avant de commander la viande. En quel honneur? Je n'avais pas su l'expliquer. Judith prétendait qu'elle nous aurait au moins téléphoné.

J'avais haussé les épaules. Ma femme avait sans doute raison. Cependant, une minute plus tard à peine, j'étais de nouveau persuadé qu'Alice ne serait pas là.

À la descente de l'avion, Roger déclara qu'elle n'était pas rentrée depuis deux jours. Je ne répondis rien et embrassai les jumelles qui ne semblaient guère perturbées par l'absence de leur mère et bâillaient avec soin.

« Vous avez un temps formidable, me dit-il. Ça va leur faire du bien. »

Le plus souvent, les enfants qui arrivaient de la ville étaient blancs, parfois avec de larges cernes sous les yeux, et les deux petites n'échappaient pas à la règle.

Roger m'expliqua, sur le ton de la confidence, hors de portée des deux fillettes, qu'il en avait assez. Il n'avait pas besoin de le dire. Personne, en le voyant, ne pouvait penser que ce garçon allait bien.

« Mmm…, fis-je, c'est quoi cette fois? Un film? Une pièce de théâtre?

— Qu'importe de quoi il s'agit, Francis. Je me fiche que ce soit pour une raison ou pour une autre. J'en ai assez, Francis. Qu'elle aille au diable. »

Il s'était montré patient, sans aucun doute, mais je ne pouvais que l'encourager à tenir bon – voyant, pour ma part, s'avancer à grands pas le spectre de la garde des jumelles si le couple explosait, une expérience que nous avions connue Judith et moi lors du voyage en amoureux qu'ils s'étaient imposé, deux ans plus tôt, afin de repartir sur de bonnes bases.

À soixante ans, je ne voulais plus entendre parler de certaines choses. J'aspirais à la paix. Je voulais lire des livres, écouter de la musique, me promener dans la montagne ou sur la plage de bon matin. M'occuper d'enfants, bien qu'ils fussent la chair de ma chair ainsi que Judith n'hésitait pas à me le rappeler, ne m'intéressait pratiquement plus du tout. Je m'étais occupé d'Alice et de sa sœur en leur temps et il me semblait avoir épuisé toute la gamme des expériences possibles et susceptibles d'exciter le jeune vieillard que j'étais devenu aujourd'hui – mon temps était précieux, même si je n'écrivais pratiquement plus rien.

En sorte que plus tard, à la fin du repas, lorsque l'on me donna pour mission de conduire les filles au bord de l'océan avant qu'elles ne saccagent le jardin de fond en comble, ne parvins-je pas à réprimer une grimace car j'étais précisément sur le point de m'installer au premier, dans l'agréable pénombre de mon bureau, avec mon ordinateur sur les genoux, c'est-à-dire dans mon fauteuil, les mains croisées derrière la tête – oh comme j'aimerais qu'ainsi vienne me surprendre la mort, si possible, plutôt que dans une clinique avec des tubes dans le nez – et tout ça tombait à l'eau comme du haut du trente-sixième étage, tout ça s'envolait. Par la grâce de deux fillettes de huit ans abandonnées par leur mère. Je leur offris une friandise et elles m'attendirent dehors tandis que j'essayais d'appeler Alice, laquelle ne répondit pas.

*

« Eh bien, Roger, crois-moi mais je suis de ton côté. Je la connais, tu sais. Mais quoi, deux jours…? Quarante-huit heures? Bon… eh bien… elle a fait pire, n'est-ce pas? Il n'y a peut-être pas lieu de s'alarmer… »

11

Mes paroles se voulaient rassurantes. Je n'avais moi-même aucune raison de m'inquiéter pour deux malheureuses journées sans nouvelles, s'agissant d'Alice, en dehors de cette certitude que j'avais eue au réveil de ne pas la trouver à la descente de l'avion. Je ne savais pas comment interpréter la chose mais elle ne me quittait pas l'esprit. Alice disparaissait parfois durant une semaine entière. Pourquoi donc ces deux jours éveillaient-ils un vague malaise en moi?

« Je te parie que nous aurons des nouvelles avant la fin du week-end », ai-je fini par ajouter.

J'avais peu de chances de me tromper. Alice ne perdait jamais totalement l'esprit. N'avait-elle pas épousé un banquier? Dieu sait qu'elle fréquentait des musiciens, des traîne-savates et des drogués, à l'époque. Il fallait avoir la tête solidement vissée sur les épaules pour distinguer un banquier au milieu du lot. « Tu nous as causé une sacrée frayeur », lui ai-je déclaré le jour de ses noces. Pour seule réponse, elle me fusilla du regard.

*

Le lendemain, Roger me parla de marques qu'Alice avait sur les cuisses et sur les seins. Je n'avais pas très bien dormi. Les jumelles avaient fait des cauchemars et Roger avait pris 4 mg de Rohypnol® sur mes conseils. « Des marques, dis-tu? » Je fronçai les sourcils en tâtant quelques mangues un peu trop mûres chez mon marchand habituel. « Comment ça, des marques, Roger? »

J'y pensai tout au long de l'après-midi. Je me demandais si elle m'épargnerait un jour de me faire du souci à son sujet. Ça ne semblait pas en très bonne voie. Roger essaya de la joindre à plusieurs reprises, sans succès.

Avec la tombée du soir, le vent se leva et Roger m'aida à replier le parasol et tout ce qui pouvait s'envoler dans le ciel sombre et vrombissant, en plus des fleurs du bougainvillée que les bourrasques rabattaient sèchement contre le mur de la maison et décapitaient. Le phare balayait de gros cumulus noirs, impressionnants.

Judith rentra juste avant l'orage. De San Sebastián. La tempête était sur ses talons depuis San Sebastián, déclara-t-elle. Des éclairs de chaleur avaient fusé dans l'après-midi.

Les jumelles se ressemblaient comme deux gouttes d'eau mais celle qui avait la moitié d'un doigt en moins, Anne-Lucie, sauta sur ses pieds et annonça qu'elle allait enfiler son maillot de bain. Une promesse était une promesse. Dehors, le long de l'océan, avec la houle, des paquets d'écume blanchâtre s'envolaient et se pulvérisaient dans les palmiers qui bordaient la plage. Il fallait crier pour se faire entendre. Roger semblait complètement sonné.

Le soir, la piscine n'accueillait pas grand monde – ce jour-là, personne – et nous nous installâmes devant les baies qui s'ouvraient sur l'océan passablement agité. Le spectacle était formidable – on se serait crus à l'avant d'un paquebot se propulsant à travers les embruns.

Judith se sentait perplexe. « Pour te répondre, Roger, je pense qu'Alice est une personne intelligente. Elle a passé cet âge où l'on fait n'importe quoi. Faisons-lui confiance. Elle a besoin de prendre l'air, que veux-tu. C'est une obligation, chez elle. Pourquoi y voir forcément du mal? »

Je gardais un œil sur Lucie-Anne qui tardait à remonter à la surface, tout en approuvant Judith, en hochant la tête.

« J'ai tort d'y voir du mal? glapit Roger. *J'ai tort d'y voir du mal, Judith?* »

Il croisa mon regard. Je n'avais jamais prétendu que ma fille était une sainte. Ses frasques étaient de notoriété publique. Tout se savait, dans ce milieu. Je ne voyais pas très bien ce que j'aurais pu me reprocher.

« Ne me regarde pas comme ça, s'il te plaît. J'estime avoir donné une bonne éducation à mes enfants. J'y ai consacré un nombre incalculable de jours et de nuits. À leur apprendre la différence entre le bien et le mal. Des mois et des années, Roger. Je ne suis responsable de rien, mon vieux. »

Je me levai pour tirer Anne-Lucie du bassin après qu'elle se fut tordu le poignet, semblait-il. Je la confiai à son père afin de pouvoir nager un peu.

J'allais avoir soixante ans. Les docteurs conseillaient de nager au maximum et de manger sain pour faire de vieux os. Deux consignes à ma portée.

*

Au bout d'une semaine, nous nous décidâmes à prévenir la police. Les grandes marées arrivaient. Roger n'ouvrait pratiquement plus la bouche. Nous avions donné tous les coups de fil possibles, interrogé ses amis et les amis de ses amis et même d'autres qui, ma foi, ne l'appréciaient guère, mais personne n'était au courant de rien, personne ne l'avait vue ou ne lui avait parlé ces dix derniers jours, personne ne savait où elle était.

Judith se rendit de nouveau à San Sebastián et je restai donc presque une semaine seul avec Roger et les filles. Je me demandais s'il n'avait pas l'intention de se laisser mourir de faim. Il avait à peine plus de trente ans et commençait à perdre ses cheveux.

« Je ne te dis pas qu'il est facile de gagner sa vie, Roger. Je dis qu'il est facile de perdre une femme. Il y a une légère différence. Ouvrir les yeux et voir qu'elle n'est plus là, qu'on l'a perdue. »

Je l'abandonnais parfois à un endroit et le retrouvais une ou deux heures plus tard à la même place, complètement désœuvré, somnolant à moitié. Il appelait sans doute cela se battre.

Nous passâmes une matinée entière avec les enquêteurs de la police, en tout cas suffisamment longtemps pour comprendre qu'il ne fallait rien attendre de ce côté-là – ces hommes et ces femmes rentraient chez eux, le soir, et affrontaient leurs propres problèmes, leurs conjoints, leurs enfants, leurs voisins. Même s'ils ne s'en moquaient pas royalement, on ne les sentait pas prêts à s'élancer de leurs fauteuils pour nous ramener Alice.

À mon tour, j'étais gagné par l'inquiétude. Les heures s'étiraient, profondément inconsistantes. Je sortais avec les jumelles. Lorsque nous rentrions, nous découvrions souvent leur père allongé sur le canapé – fringant n'était pas le mot.

Je cuisinais – Judith avait dû prolonger son séjour de l'autre côté de la frontière afin de réaliser une vente sur le front de mer dont les prix avaient grimpé en flèche ces derniers mois. Le ciel demeurait incertain. Alice. Ma fille. Je pensais à elle en permanence. Je revoyais des scènes entières. Cuisiner, par exemple. Je lui avais appris à cuisiner. Durant les deux années où nous avions co-habité – entre l'accident et le jour où j'avais épousé Judith –, j'avais tâché d'adoucir notre épreuve en lui apprenant quelques recettes de base, une omelette aux piments, par exemple, ou une fricassée de rognons flambés. Nous avions pu parler. Nous avions réussi à ne pas nous noyer ensemble. Un véritable exploit.

J'engageai un détective. Roger proposa de partager les frais mais je refusai. Je choisis une femme, une certaine Anne-Marguerite Lémo, qui habitait à cinq cents mètres de chez moi et que j'avais connue à l'école.

Des renseignements que j'avais pu glaner autour de moi, il ressortait qu'Anne-Marguerite était la meilleure dans sa branche. Je lui avais rendu visite sur-le-champ pour lui soumettre notre affaire.

Il y avait quoi, au moins quarante ans que nous nous étions perdus de vue, et nous échangeâmes de vieux souvenirs, nous consacrâmes quelques longues minutes à la mise à jour de nos vies respectives. Elle avait un fils. Son mari était mort d'une crise cardiaque. Elle n'avait pas d'abominables fesses, pour un détective privé qui n'était plus si jeune.

Anne-Marguerite avait eu vent de l'accident où avaient péri ma femme et l'une de mes deux filles, à l'automne 96. Les journaux en avaient longuement parlé. J'acceptai ses condoléances et lui expliquai ce qui se passait.

Je lui donnai deux mille euros pour commencer. Elle n'en accepta que la moitié au prétexte que nous avions été de bons amis, autrefois. Elle exagérait. Tout le monde baisait tout le monde à cette époque. Elle prit consciencieusement quelques notes tandis que la pluie tombait à la fenêtre du bureau qu'elle partageait, dans le centre-ville, avec un cabinet d'assurances.

« Il me tarde de retrouver Alice », fit-elle en me tendant la main.

Un peu d'enthousiasme, enfin. Enfin quelqu'un qui m'accordait un franc sourire. Elle m'administra une poignée de main énergique.

Anne-Marguerite Lémo. Ma quasi-voisine. Le monde était-il autre chose qu'un minuscule village aux hasards désopilants?

*

Roger retourna à Paris quelques jours plus tard. Je ne le retenais pas, au contraire, je l'avais même encouragé. Je préférais largement la garde des jumelles à sa sinistre compagnie – qui entretenait sans faillir mon angoisse.

Nous convînmes de nous tenir au courant de la moindre information et je l'accompagnai à l'avion après lui avoir donné deux Xanax et une tape dans le dos mollement amicale.

Il n'y avait pas de meilleure grand-mère que Judith pour les fillettes – elles l'adoraient – et donc j'avais cette chance de n'être pas celui à qui incombait la lecture du soir. Quand Judith était là.

Je ne savais pas si elle était en train de vendre toute la Baie de la Concha, mais on ne la voyait pas beaucoup. Lorsqu'elle rentrait, elle prenait de nos nouvelles. En repartant, elle me donnait diverses directives.

Elle se prétendait débordée de travail. Toute espèce de sexualité entre nous se trouvait pour ainsi dire réduite à néant.

Je leur lisais *Le journal de Bridget Jones* jusqu'au moment où un profond silence envahissait la pièce et me commandait de sortir à reculons en retenant mon souffle.

Je ne résistais pas au besoin d'appeler Anne-Marguerite, une fois la nuit venue et que j'étais seul, sachant

18

très bien que si elle ne m'avait pas appelé cela signifiait qu'il n'y avait rien de neuf, mais elle ne semblait jamais irritée ou importunée par mon stupide coup de fil et se montrait au contraire pleine de sollicitude. Je lui en étais reconnaissant. J'avais besoin de parler d'Alice à mesure que les heures s'ajoutaient aux heures. Prononcer son nom la protégeait, me semblait-il.

La première mention de sa disparition dans la presse me glaça les sangs et mon téléphone se mit à sonner sans interruption. Ce milieu était assoiffé de nouvelles et la moitié des acteurs et actrices du pays – je laissais l'autre moitié en attente – tenait à pousser de longs gémissements dans mes oreilles. Le ciel était bas. Chaque fois que je raccrochais, je surprenais le regard des fillettes posé sur moi et je pestais intérieurement d'avoir évoqué la disparition de leur mère devant elles – où avais-je la tête –, jusqu'au moment où mon téléphone vibrait à nouveau.

Dans l'après-midi, je coupai le vibreur – j'avais supprimé la sonnerie depuis longtemps. Tous ces soupirs, toutes ces larmes, au bout d'un moment, se transformaient en une sourde et sombre mélopée dont je n'avais pas besoin.

Je confectionnai une sorte de somptueux goûter pour me faire pardonner d'avoir oublié leur repas de midi qui s'était soldé par un grand bol de céréales et de riz soufflé – j'avais gardé le bon réflexe d'en remplir les placards lorsqu'elles étaient là, ainsi que de lait UHT demi-écrémé.

Le fils d'Anne-Marguerite était en prison. Elle m'en informa au cours de ce goûter que je préparais en faisant sauter des crêpes. Elle haussa les épaules. Un cambriolage qui avait mal tourné. Je la considérai un instant d'un œil incrédule, tandis que mes poêles chauffaient à vide et fumaient – sauf à aimer souffrir, le rôle de père ou de mère est bien le pire qui puisse échoir, non? Les exemples fourmillent, non?

« J'ai pensé à vous en ouvrant le journal, a-t-elle poursuivi. Il se pourrait bien, Francis, que ce soit un mauvais moment à passer. »

Ça l'était. Avec ou sans la presse. Avec ou sans les amis. Avec ou sans téléphone.

*

Le passé de ma fille, de même que les interrogatoires menés au long des jours, laissait penser à la police qu'il s'agissait d'une fugue ou du dernier des épisodes scabreux dont était semé son parcours sentimental et professionnel.

Ce qui ne signifiait pas, m'avait-on précisé, que l'on suspendait les recherches, mais je devais comprendre qu'aucune piste n'ayant abouti et qu'en l'absence de nouveaux éléments, l'enquête, à ce point, ne pouvait plus guère avancer. Continuer à chercher? Bien sûr qu'ils allaient continuer à chercher. Je n'allais rien gagner à me montrer désagréable. Qui aimait tourner en rond? Qui ne souhaitait pas une fin heureuse et rapide à cette histoire? Quel policier n'avait pas à cœur de me ramener ma fille saine et sauve?

L'inspecteur qui m'avait tenu ce discours fit monter d'un cran mon angoisse car je n'avais pas encore envisagé la possibilité que *la vie* de ma fille fût en danger. « Je ne l'ai jamais imaginé une seconde, Anne-Mar. Pas consciemment, du moins. Comment aurais-je eu la force de l'imaginer? Comment imaginer une chose qui peut vous engloutir? »

Anne-Marguerite hocha la tête. Durant trois jours, elle avait enquêté à Paris et rentrait totalement bredouille. Je commençais à me sentir vraiment seul. La présence des jumelles – que Roger, encore secoué apparemment, tardait à rapatrier – rendait l'épreuve moins difficile, mais je n'avais de vrai répit que lorsque Anne-Marguerite passait nous voir et qu'elle prenait le relais car je bénéficiais ainsi de leur présence à moindres frais, de la saine rumeur de leur conversation sans être tenu d'y participer.

Je devais à Judith – à son emblématique absence, à son peu de souci de me venir en aide – cette pénible situation.

Dix ans de mariage nous laissaient sonnés, elle et moi. Singulièrement groggy. Incapables d'expliquer clairement ce qui nous arrivait. Comme anesthésiés. Nous ne parvenions pas à le formuler mais ne faisions pas semblant de l'ignorer.

Elle s'absentait facilement. De plus en plus. Il n'était pas rare qu'elle disparût désormais durant plusieurs jours et je me contentais de ses explications, je ne cherchais pas à connaître le détail de son emploi du temps. J'étais stupéfait de découvrir la paroi infranchissable qui se dressait entre nous. Se regarder dans les yeux ne servait plus à rien. Quand elle partait, je lui souhaitais bonne route. Elle promettait de m'appeler. Et elle le faisait – sans faire exploser son forfait, certes.

Quoi qu'il en soit, me laisser seul avec les jumelles s'apparentait à un vrai coup bas. Dans l'état de tension et d'angoisse où je me trouvais. Mais ce n'était pas à moi de le lui dire.

Ce soir-là, elle avait dîné dans une cidrerie avec des marchands espagnols et n'avait pu se libérer plus tôt.

« Tu n'aurais pas dû appeler pour dire que tu arrivais, dis-je. Elles t'ont attendue.

— J'ai failli écraser un porc-épic.

— J'ai eu un mal de chien à les endormir. Après ton coup de fil.

— Ça m'a retardée. Je me suis assuré qu'il traversait la route sans encombre. Est-ce que je n'ai pas bien fait ? »

On sonna à la porte. Anne-Marguerite voulut tourner les talons, s'imaginant qu'elle dérangeait, mais j'insistai et les présentai l'une à l'autre.

Anne-Marguerite, ou Anne-Mar, que j'appelais désormais A.M. – son fils l'appelait ainsi –, venait voir si tout se passait bien avec les jumelles et je vis briller dans le regard de Judith, le temps d'un éclair, un mélange de reconnaissance et d'agacement à l'adresse de mon amie détective.

*

À cinquante ans, Judith appartenait toujours au genre désirable, sans aucun doute – tandis que je n'étais pas sûr de l'être encore moi-même. En fait, j'avais commis la terrible erreur de vouloir qu'elle remplace Johanna, la mère d'Alice, et voilà où ma folie nous avait conduits, à cet irrésistible et fatal éloignement – à cette lente mise à mort dont nous observions l'évolution, Judith et moi, fascinés et paralysés par les progrès d'un tel échec.

A.M. semblait navrée par mes histoires, mais elle-même savait comme la douleur rendait stupide – je devais la croire –, en sorte qu'elle refusait de m'accabler davantage.

Alice avait disparu depuis vingt et un jours – j'avalais mes 160 mg de pantoprazole quotidiens pour enrayer mes brûlures d'estomac.

A.M. était remontée à Paris pour explorer de nouvelles pistes, mais sans le moindre succès.

« Qu'est-ce que vous en pensez? Dites-moi si vous croyez que c'est fichu, A.M. Je préfère le savoir. Écoutez, si vous avez appris quelque chose, la moindre chose, dites-le-moi. Même si ce n'est qu'une impression.

— Rien n'est perdu, Francis. Il s'agit d'un enlèvement, pour moi. Je vous l'ai dit. Je suis persuadée qu'elle est vivante. »

J'appréciais beaucoup, lorsqu'elle me disait ça, *je suis persuadée qu'Alice est vivante.*

J'avais appelé Roger. Je l'avais laissé gémir et se lamenter, puis je lui avais demandé de venir chercher ses filles. Pourquoi ? Devais-je lui fournir des explications ? « Parce que je n'ai plus vingt ans, Roger. Bien sûr que je les aime. Bien sûr que je les adore. Le problème n'est pas là. » Puis Judith m'avait appelé de Madrid, dans l'heure qui suivait, pour me parler de mon manque de cœur. Le culot de cette femme.

Mais je n'avais pas cédé. Roger était arrivé par le vol du lendemain et nous avions à peine échangé quelques mots pendant que les jumelles bouclaient leurs valises. Je ne l'avais pas trouvé aussi défait que je l'avais imaginé après l'avoir entendu geindre et couiner au téléphone. En dehors du pli amer qu'il gardait aux lèvres, il n'avait pas si mauvaise mine – il était pâle de nature.

Devant la maison, les eucalyptus perdaient leur peau. Je lui en voulais de m'avoir obligé à l'appeler pour qu'il vienne récupérer ses enfants et j'observais le balancement des lampions de papier que les filles avaient accrochés aux branches basses à l'occasion de la fête qu'elles avaient organisée la veille et dont j'étais à peine remis. Olga, ma fille qui était morte, en confectionnait de très jolis, de différentes formes, quand elle avait leur âge. En voilà une qui était particulièrement douée de ses mains.

Lorsqu'ils eurent enfin tourné les talons, filé en direction de l'aéroport, la tête basse, je me demandai si je n'avais pas eu tort. Quel silence, tout à coup. Quel vide.

Quel vide autour de moi.

Je fis un feu – pour le crépitement, les danses d'un mur à l'autre – et m'installai avec la correspondance de Flannery O'Connor qui se révélait un bon remède en général. Le soir tombait. La côte espagnole était déjà plongée dans l'obscurité et les premières étoiles brillaient au-dessus du jardin. Mais la disparition d'Alice m'oppressait.

L'impuissance était la pire des tortures.

A.M. le savait. A.M. le comprenait. Elle avait la gentillesse de passer. Elle avait sans doute compris que Judith et moi ne filions plus le parfait amour et que j'avais besoin d'un peu de soutien, eu égard aux tempêtes que je traversais, aux typhons qui croisaient ma route.

« C'est encore une très belle femme, déclara-t-elle. Superbe poitrine.

— Exact. Et pour ce que j'en sais, elle n'a jamais donné le sein. Ceci expliquant cela. »

Je me levai pour nous confectionner des Bloody Mary – elle en était friande.

Elle revenait de la prison, d'une de ces pénibles visites qu'elle rendait à son fils – au terme desquelles c'était alors moi qui devais lui tendre mon épaule, par un renversement grotesque des rôles. Je savais tout, à présent, de Jérémie Lémo. Je pouvais le reconnaître au milieu d'une foule sans l'avoir jamais rencontré.

*

Le jour où j'accompagnai A.M. au parloir, je restai un instant sidéré par la ressemblance entre l'original et le portrait que m'en avait dressé sa mère.

Quant à lui, il me considéra avec méfiance. Il avait beau froncer les sourcils, il paraissait tellement plus jeune que les vingt-cinq ans annoncés.

A.M. déclara que son fils était responsable de chaque cheveu blanc qu'elle avait sur la tête. Il venait de traiter sa mère de putain après avoir refusé de me serrer la main, si bien qu'elle et moi, dépités, rebroussions chemin vers ma voiture, accueillis par un vent d'ouest qui soufflait de l'océan.

Nous décapotâmes. L'idée que son fils ait cru que nous étions amants nous fit sourire, au bout du compte.

*

A.M. était aussi vieille que moi. Quel intérêt aurais-je eu de prendre une maîtresse aussi vieille que moi ? – alors que mes rêves étaient peuplés de jeunes femmes pleines de vie, toutes plus appétissantes les unes que les autres... et d'ailleurs, à cet égard, le dernier Philip Roth m'avait démoralisé, presque laissé pour mort des jours durant.

A.M. n'était pas le moins du monde repoussante. Vieille ne signifiait pas repoussante. Son corps n'envoyait plus aucun signal, du moins en direction du mien, tout simplement. Quelque part, profondément enfouies, des piles semblaient mortes. Mais cela ne signifiait pas qu'elle fût laide ou qu'elle dégageât une odeur déplaisante, entendons-nous bien.

Elle avait des traits réguliers. Sur certaines photos datant des années soixante-dix, elle ressemblait à Juliette Gréco – avec son nez d'origine.

*

Judith prenait beaucoup de plaisir à vendre des maisons. Dix ans plus tôt, elle m'avait vendu celle que nous occupions aujourd'hui et je pouvais témoigner de son talent pour conclure une transaction immobilière. Comme A.M. en matière d'investigation, Judith était la meilleure dans sa partie. Toutes les plus belles affaires lui passaient entre les mains. Elle connaissait le pays comme sa poche et elle connaissait bien son métier. Elle parlait le russe et l'espagnol. Des types arrivaient de l'Oural et des steppes avec des valises pleines de billets – que je devais garder parfois plusieurs jours à la maison avec le risque de me faire couper la gorge – et elle faisait affaire dans la langue de l'acheteur – le russe la rendait volubile –, un service qu'aucune autre agence ne proposait et qui constituait un must absolu pour nos frères de l'Est qui venaient chercher un peu de calme et de tranquillité par ici, respirer l'air pur de l'océan, goûter à ses embruns. Les Russes *claquaient* volontiers leur argent. Le maire et ses conseillers avaient fait le voyage jusqu'à Saint-Pétersbourg pour vanter la région et l'intérêt qu'il y avait à s'y installer, à y investir, etc. Résultat, Judith n'avait plus guère de temps à me consacrer.

Rien ne la forçait à remplir ses carnets de rendez-vous jusqu'à la garde. Mais nous traversions la période la plus difficile depuis notre mariage et nous étions convenus de prendre un peu de recul. L'immobilier flambait à San Sebastián.

Lorsqu'elle y pensait, elle me rapportait des cigarettes. Elle me tendit une cartouche et me dit : « Tu sais, cette femme… Je n'ai rien contre elle, mais…

— Non, attends… je vois où tu veux en venir, seulement…

— Au contraire, loin de moi l'idée de…

— Elle a fait tout ce qui était possible. Je le sais. On ne peut absolument rien lui reprocher. Je sais qu'elle a tout fait. Elle est vraiment très bonne. Crois-moi. »

Sans être encore très forte, la tension entre nous se révélait continuelle. Je ne savais pas si c'était le signe d'une liaison qu'elle avait nouée ou celui de la frustration – il y avait des hordes de *hombres* brillantinés de l'autre côté de la frontière.

« Tu trouves que la police fait un meilleur travail ? ajoutai-je. Ils ont avancé d'un pas ? »

Mieux que personne, elle prenait la mesure de ce que je vivais, eu égard à mes antécédents en matière de drame, de sorte qu'elle me ménageait malgré l'humeur incertaine que je développais à mon tour.

Il m'avait fallu du temps pour me convaincre qu'aucune femme n'allait remplacer celle que j'avais perdue. J'avais marché vers la lumière à la vitesse d'un continent, si bien que tout – du moins l'essentiel – s'était détérioré sous mes yeux sans m'alerter.

Je crois que je l'avais découragée, tout simplement.

Je me faisais ce genre de réfléxion à présent que ma vie était en train de basculer et que je n'étais plus en état d'agir sur quoi que ce soit – l'épouvantable disparition de ma fille remontait comme une giclée de curare vers mon cœur chaque jour qui passait. Est-ce qu'un type pouvait perdre ses deux filles à douze ans d'intervalle? Le sort pouvait-il s'acharner ainsi?

Rien que d'y penser me faisait trembler. J'imaginais très bien, cependant, qu'aucune femme un peu sensée – et Judith l'était, assurément – n'aurait souhaité trouver un type dans mon genre – et tâter de sa déprimante compagnie – en rentrant de son travail. Je concevais fort bien qu'elle ne fût pas pressée de rentrer pour partager la soirée avec moi.

Je l'avais découragée. C'était aussi simple que ça.

Sans doute même devais-je me féliciter qu'elle ne m'eût point encore quitté. En tout cas, je n'étais pas loin de le penser, à présent. J'avais beau sortir et pratiquer quelques exercices de respiration face à l'océan, je ne parvenais plus à remplir mes poumons. Parfois, elle venait me masser les épaules.

J'étais obligé d'appeler Roger, sinon il ne m'appelait pas. « Je veux que tu m'appelles, tu m'entends ? Même si tu n'as aucune nouvelle, je veux que tu m'appelles. Tu peux bien faire ça, non ? Même si c'est pour me dire que tu n'as aucune nouvelle, d'accord ? Tu peux soupirer, mais fais ce que je te dis. »

*

La police finit par admettre qu'un mois sans nouvelles n'était pas très bon signe. « Et c'est pour me dire ça que vous êtes venus ? ai-je demandé. À deux ? »

Je ne dormais plus guère, sinon par petits bouts. Mes nuits étaient découpées en une douzaine de tranches qui alternaient veille et sommeil. En conséquence de quoi je m'endormais trois ou quatre fois dans la journée, piquant du nez dans n'importe quel endroit, au supermarché ou dans un bar ou chez le marchand de journaux.

Les gens savaient de quoi je souffrais et certains commerçants me proposaient une chaise et me plaignaient tandis que ma tête tombait sur ma poitrine. On aurait dit que la moitié de la ville cherchait à me caresser le dos. Lorsqu'ils avaient appris la mort de ma femme et de ma fille, ils avaient fait dire des messes à leur intention. Avec des chœurs – certains étaient même descendus exprès de la montagne.

La plupart d'entre eux avaient suivi la carrière d'Alice
– une si jolie fille, une si bonne actrice, la fierté de son
père sans aucun doute – et il ne se passait pas une
journée sans que je tombe sur une bonne femme qui
me récitait tout le curriculum de ma fille – sans s'at-
tarder sur certains épisodes moins reluisants, évidemment.

« Pourquoi ne prends-tu pas ta voiture ? me conseillait
Judith. Va faire tes courses en Espagne...

— Que veux-tu que j'achète en Espagne ? » lui répon-
dais-je.

De plus, je n'avais aucune envie de conduire. Je
n'avais pas faim, non plus. Si j'étais seul, je ne mangeais
pas. Je n'y pensais pas. Si elle savait que j'étais seul,
A.M. suspendait son éventuelle investigation en cours
et elle apportait des sandwiches, des hot dogs, de la
nourriture chinoise ou indienne, italienne, grecque, ou
même japonaise, au fond peu importait, cela m'était
égal – au point que je pouvais mastiquer un gros morceau de gingembre confit sans broncher.

Comme je ne parlais pratiquement pas, c'était A.M.
qui se chargeait de la conversation. Avec un peu de
chance, un cachalot s'était échoué sur la plage. Un
autre jour, il s'agissait d'héroïne conditionnée en
paquets d'un kilo et rejetée par l'océan. Ou de l'ouverture d'un nouveau terrain de golf. De la condition physique de l'équipe de rugby. D'un attentat contre une
garnison de la Guardia Civil. De gays que l'on avait
coincés dans les buissons, au pied du phare. Etc.

31

Sinon, elle me parlait de son fils, Jérémie, qui allait sortir bientôt, et elle appréhendait cet instant car le garçon n'était pas facile. Une vraie tête brûlée, selon moi.

A.M. estimait qu'il fallait que le garçon nous voie ensemble, qu'il intègre ma présence auprès d'elle pour quand il sortirait, qu'il intègre le fait que sa mère s'était trouvé un ami – pas un type pour coucher.

Le jour de sa sortie, je suis allé le chercher et ça ne s'est pas trop mal passé, mais mon esprit était ailleurs. Depuis combien de temps Alice avait-elle disparu ? Un mois et demi ? J'étais anéanti. Jérémie me considéra tandis que je nous conduisais vers la pinède en sautant sur les ralentisseurs, puis il finit par lâcher que, oui, ça commençait à faire long, quarante-cinq jours.

Je l'arrêtai devant chez lui. A.M. apparut à l'entrée. Je fis un signe puis filai.

*

Jérémie s'était fait prendre en braquant une station-service. Une balle perdue avait frappé le caissier en pleine poitrine.

Il venait de faire six ans de prison. La chose à laquelle il semblait tenir le plus au monde était son lecteur. Il écoutait du rock anglais, principalement.

« Dis-moi quand tu seras prêt à chercher du travail, lui ai-je déclaré. Je pourrai peut-être te donner un coup de main.

— De quoi je me mêle », m'a-t-il répondu.

A.M. souhaitait lui laisser du temps, quelques semaines de plus avant d'aborder le sujet. C'était son fils. Ce n'était pas à moi de lui dire ce qu'elle devait faire – je ne le savais pas non plus, étant incapable de concentrer mon esprit sur un autre sujet que la disparition d'Alice.

Un matin, en marchant tôt sur la plage, escaladant les dunes dans la blancheur humide et pâle de l'aube, je tombai sur lui, assis dans le sable. Il lançait un bout de bois à un chiot qui traînait depuis quelques jours dans les environs.

« Ça doit être dur. Je n'aimerais pas être à ta place », dis-je.

À mon retour, il se trouvait toujours là. Le chien aussi. En contrebas, quelques vaguelettes s'avançaient sur le sable qui étincelait à présent dans la lumière du matin. Il fallait presque cligner des yeux.

« Que dirais-tu d'aller prendre un café ? » ai-je proposé. J'avais un irrésistible besoin de parler d'Alice et, de ce point de vue, le garçon m'apparaissait comme un immense terrain vierge.

Je me suis assis en face de lui. « Tu as dû la voir dans le dernier James Bond, lui ai-je dit. Ou alors dans *Voici*. »

Parfois, lorsque je parlais d'elle, l'image des deux mortes se joignait à celle d'Alice, un sanglot m'obstruait subitement la gorge et j'émettais une sorte de gargouillis ou éructais ou encore me pliais en deux.

33

Jérémie, contrairement aux autres, ne broncha pas d'un cil quand un gémissement s'échappa du fond de mon ventre à l'instant où j'évoquai l'époque à laquelle j'étais le père de deux grandes filles et le mari d'une femme exceptionnelle, Johanna, que j'avais vue périr sous mes yeux. Il ne me demanda pas si je me sentais bien. « Je peux avoir des croissants ? » me demanda-t-il. De jeunes types ruisselants sortaient de l'eau avec leurs planches et s'installaient aux terrasses pour contempler l'océan.

« Prends ce que tu veux, lui dis-je. Loin de moi d'approuver sa conduite. Loin de moi d'ériger ma fille en modèle, bien entendu. Mais on peut lui accorder des circonstances atténuantes, il me semble... non, tu ne crois pas ? Et on connaît ce milieu, n'est-ce pas, on sait bien qu'il est pratiquement impossible de s'en sortir sans dommage. Est-ce qu'il ne vaut pas mieux prendre son enfant et le jeter par la fenêtre ? Je plaisante. »

Je me penchai sur le chiot pour lui donner un morceau de sucre, mais Jérémie m'arrêta, prétextant que ce n'était pas bon pour ses dents. « Ce sont ses dents de lait, mon vieux. Il va les perdre, lui dis-je.

— Je m'en fous », répondit-il.

*

Lors de sa dernière visite, Alice avait oublié un tee-shirt qui portait l'inscription ABUSE OF POWER COMES AS NO SURPRISE, mais il était trop petit pour moi.

Il était lavé et repassé, bien sûr, il sentait le frais et la lessive. Plus aucune trace de son odeur, bien entendu.

Comment aurais-je pu prévoir ? Presque deux mois, à présent. Épouvantable.

Ma tête ne passait pas. Le bas allait m'arriver à la hauteur du nombril. À défaut de le porter, je devais donc me contenter de le tenir entre mes mains.

Les journaux continuaient à parler de sa disparition. Certains étaient persuadés qu'elle se cachait encore dans une clinique privée, pour une désintoxication ou Dieu sait quoi, mais j'avais appelé chacun de ces établissements l'un après l'autre, et dès les tout premiers jours, sans le moindre succès.

Au moins, de ce côté, elle se montrait plus raisonnable avec le temps. Les jumelles, peu ou prou, lui avaient remis les pieds sur terre. Roger aussi avait mûri. Les embardées de son épouse l'amusaient beaucoup moins à présent – ayant lui-même, après ce fameux soir où deux phalanges d'Anne-Lucie avaient roulé sur la moquette, juré qu'il ne toucherait plus à rien désormais.

Je rêvais d'être contacté pour payer une rançon. Je voulais bien traverser la ville à pied et m'enfoncer dans la forêt avec une valise pleine de billets, je ne voulais que ça, être utile, mais personne ne m'appelait.

Judith dormait à l'étage – elle avait commencé à bâiller avant la fin du repas. Ses allers et retours l'épuisaient – et moi donc. Son sac – que je n'inspectais pas avec une minutie fiévreuse – ne m'apprenait rien sur la nature de ses déplacements – leur éventuelle nature adultère.

Je me demandais si j'étais encore capable d'éprouver quelque chose, si l'envahissement de mon cerveau par la disparition de ma fille – je n'en avais plus d'autre – ne l'avait pas coupé de tout – j'espérais qu'une pointe de jalousie m'accompagnerait durant ma fouille, mais il n'en fut rien – j'avais à peine conscience de ce que je faisais.

Lorsqu'elle n'était pas là, je lui en voulais de me laisser seul, mais lorsqu'elle rentrait, sa présence m'embarrassait. J'avais honte de l'état d'abrutissement dans lequel je me trouvais, je détournais rapidement les yeux. Je bredouillais des phrases dont je ne comprenais pas un traître mot.

Elle envisageait de prendre une chambre à San Sebastián si l'effervescence du marché persistait.

« Bon Dieu, dis-je, ça commence à prendre une drôle de tournure.

— Je ne sais pas, Francis. Je n'en sais rien. Prendre une chambre au mois me coûtera moins cher que l'hôtel. Ça ne veut rien dire d'autre que ça.

— Ça en dit suffisamment. Je te le garantis. Si tu pouvais attendre que je me sente un peu mieux, ça serait aimable de ta part. Vraiment. »

Quand elle était là, je devais trouver un moyen pour ne pas rester inactif car je sentais aussitôt son regard peser sur moi. Surtout le soir, lorsqu'elle profitait de la pénombre pour me dévisager – j'imaginais de mon côté que des mots s'inscrivaient sur mon front et qu'elle pouvait les lire et je ne le voulais surtout pas.

J'étais content d'avoir recommencé à fumer. Pour compenser, je marchais beaucoup. Aucun livre ne me réclamait plus de toute urgence désormais – ni pour le lire ni pour l'écrire. J'avais du temps. Je finissais par tomber sur Jérémie, à un moment ou un autre de la journée. Avec ce chien qu'il semblait avoir adopté et qui grossissait à vue d'œil. Très doué pour courir après les morceaux de bois et les pommes de pin.

« Je comprends ta position, lui ai-je dit. Mais je fais ce que ta mère m'a demandé. Libre à toi d'accepter ou de refuser. Je ne fais que te passer l'information.

— Qu'est-ce que j'irais foutre dans un casino ?

— Je ne sais pas. Croupier ? Est-ce que je sais ?... »

Il fit tourbillonner un bout de bois dans les airs et l'animal partit ventre à terre en jappant. « Plutôt crever », fit-il. Indifférente, la pleine lune clapotait sur l'océan, baignait les pins, rebondissait sur la route, puis s'invitait dans les jardins.

*

Bien qu'elle se révélât incapable d'adopter certaines mesures vis-à-vis de son fils, A.M. se désolait du manque d'enthousiasme que celui-ci manifestait à l'idée de réagir. Elle avait sans doute espoir que je mêlerais ma voix à la sienne, ce qui était le cas, mais le garçon ne voulait rien entendre. Je ne connaissais pas la solution de ce problème.

Elle finissait par soupirer, par l'admettre. Je n'avais pas spécialement brillé en tant que père. Pas suffisamment pour me prévaloir d'une quelconque autorité en la matière, et le cas de Jérémie se situait bien au-delà de mes compétences.

Je devais prendre garde de ne pas trop m'investir, selon Judith. Elle avait consulté des archives sur Internet et le récit du braquage auquel Jérémie s'était livré ne valait à celui-ci aucune sympathie de sa part. Peu importait qui avait tiré. Le caissier était mort. Parce qu'un crétin avait décidé de braquer une station-service. Ne trouvais-je pas ça lamentable?

Jérémie sentait qu'il n'avait pas gagné le cœur de Judith mais il déclarait se mettre à sa place et comprendre la réticence qu'il lui inspirait.

Il osait à peine pénétrer dans le jardin lorsqu'elle était à la maison et elle ne l'encourageait guère, mais je ne voulais pas m'en mêler. Je sortais alors et restais fumer une cigarette avec lui. Nous ne parlions pas beaucoup. Nous regardions le chien courir après des mouettes qui disparaissaient en criant dans l'obscurité. Judith me demandait ce qu'il y avait de si important pour que je l'abandonne de cette façon et j'étais bien en peine de lui répondre.

Je n'avais aucune raison de rechercher la compagnie de ce garçon, sinon qu'il était disponible au moment où je traversais l'une des pires épreuves de ma vie.

Il avait ses problèmes, lui aussi, il n'allait pas bien, et cette ressemblance – ce sinistre point commun – semblait détenir le pouvoir d'alléger certains fardeaux, de les rendre moins pénibles à supporter d'un côté comme de l'autre – n'est-il pas rassurant de voir qu'il y a aussi abîmé que soi, aussi maltraité que soi, aussi désemparé, aussi écrasé que soi?

A.M. éclaira un peu ma lanterne, un matin, lorsqu'elle m'apprit que le père de Jérémie était mort dans les bras du garçon, quelques jours après que celui-ci eut fêté ses seize ans – on pouvait dater de ce moment-là le commencement des ennuis qu'il avait collectionnés jusqu'à sa chute au fond d'une cellule.

Je doutais que Judith considérât qu'il s'agissait là d'une excuse, lui répondis-je. Nous nous étions levés à l'aube pour acheter des anchois – un léger voile de brouillard matinal couvrait encore les monts avoisinants qui poignaient de l'obscurité. A.M. haussa vaguement les épaules – elle était une mère avant tout.

Une des erreurs que j'avais commises était mon refus catégorique d'avoir un enfant avec Judith. Elle avait accusé le coup. Elle avait accusé le coup et j'en payais aujourd'hui les conséquences. J'avais endurci son cœur. Je m'étonnais parfois de certaine froideur dont elle faisait preuve – son attitude envers Jérémie en constituait un pur exemple –, oubliant alors – misérable amnésique sans vergogne que j'étais – le fait que j'en étais responsable au premier chef.

Pour conserver les anchois, A.M. avait une recette

de famille qui consistait à les recouvrir de sel fin, pas de gros sel justement, de *sel fin*, couche après couche, de sorte que leur chair demeurait ferme et rouge et tout simplement succulente – une histoire absolument véridique circulait selon laquelle Hemingway, devenu entre-temps prix Nobel, en avait commandé jusqu'à sa mort à la mère d'A.M. qui, bon an mal an, lui en envoyait une cinquantaine de bocaux dans des caisses, les dernières à Ketchum, dans l'Idaho, et que ce dernier envoi, notre Ernest, Ernesto comme on l'appelait ici, Ernesto Hemingway, cet envoi, il ne l'avait jamais réglé.

*

A.M. nous abandonna devant cinq kilos d'anchois qu'il fallait vider, nettoyer, laver, mettre en bocaux, etc., pour courir en ville après l'on ne savait trop quoi – elle ne parlait pas beaucoup de son travail. Je ressentis une certaine frayeur en avisant Jérémie qui dormait encore à moitié sur place. Il avait dormi dans la voiture, au retour. M'occuper des cinq kilos à moi seul ne m'enchantait guère.

L'aube se levait. Je préparai du café. Étais-je ainsi lorsque j'avais vingt-cinq ans ? Si peu vaillant ? « Eh bien, retroussons nos manches », dis-je en ouvrant les stores. Jérémie grimaça dans la lumière jaune bouton-d'or. « Deux mois sans nouvelles, Jérémie. Ça va faire deux mois, est-ce que tu te rends compte ? »

J'attrapai un poisson, l'ouvris en deux, l'éviscérai, le rinçai rapidement sous l'eau, l'égouttai, puis le couchai sur son lit de sel. J'invitai Jérémie à en faire autant.

« Ça s'est passé un matin, il y a douze ans. Il est arrivé à un chauffeur routier la même chose qu'à ton père. Crise cardiaque. J'étais descendu de voiture avec Alice et nous nous dirigions vers la cafétéria. Nous partions en vacances. On pense que l'homme avait déjà perdu connaissance quand son camion-citerne a traversé le parking comme un boulet de canon, est venu s'encastrer dans la voiture, et elles ont brûlé vives, Jérémie, elles ont brûlé sous nos yeux. Toutes les deux. Sa mère et sa sœur. Il ne faut pas oublier ça, avant de la juger. Je te dis ça pour que tu comprennes. Regarde Courtney Love. Qui irait lui reprocher de commettre quelques excès, de temps en temps? En tout cas, tu connais l'histoire à présent. C'est déjà dur de fonctionner dans ce milicu en temps normal. Je peux te dire qu'elle s'est battue. Je peux te dire qu'il lui a fallu du courage. Ce n'est pas parce que je suis son père. Roger te dira qu'elle se réveille encore en sursaut et en sueur. Dans ce milieu où chacun guette la moindre faiblesse, le moindre faux pas de celui qui est en face... »

Je remarquai qu'il me fixait. Le couvercle de mon caveau se referma de nouveau sur moi. La lourde pierre de mon tombeau reprit sa place et me réduisit au silence.

« Faites pas cette tête-là, me dit-il. Tout n'est pas perdu. »

*

Roger ramena les filles pour les vacances de la Toussaint. Je remerciai le Ciel que Judith fût repassée de ce côté-ci de la frontière et pût les accueillir et les serrer dans ses bras comme toute grand-mère qui se respectait et avait à cœur de jouer son noble rôle devait le faire... D'autant qu'elle s'en acquittait fort bien. Les filles refusaient de s'endormir sans un dernier baiser de sa part.

Lorsque nous les avons accueillis à l'aéroport, Judith m'a glissé un coup d'œil navré. Deux petits navets ambulants. Roger leur donnait-il suffisamment à manger ? Les soignait-il bien ? Sans doute leur grand-mère exagérait-elle un peu. L'air de la capitale, à lui seul, affaiblissait l'organisme le plus sain, empoisonnait le plus vaillant à petit feu. Peut-être les filles présentaient-elles quelques cernes un peu plus diaphanes et bleus que d'habitude, mais guère davantage. Roger n'allait pas trop mal, lui non plus.

Il attendit le milieu de l'après-midi pour nous parler de l'équipe de journalistes qu'il avait convoquée pour le lendemain. Nous nous sommes regardés, Judith et moi. Des journalistes.

Roger ne nous permit pas de repende notre souffle. Il nous expliqua que la pire chose qui pouvait arriver était que le silence retombât. Qu'il fallait continuer à occuper le devant de la scène, montrer que les larmes continuaient à couler mais que, parallèlement, l'espoir demeurait. Il fallait lui faire confiance. La semaine précédente, il avait placardé les murs et les stations de métro avec la photo d'Alice – prise trois ans plus tôt lors d'un festival de cinéma à Sydney – intitulée REN-DEZ-LA-NOUS. Dans le *Elle* de la semaine, elle parta-geait une page avec Paris Hilton – cette blonde pathé-tique.

« Tu devrais arrêter, lui dis-je. Sincèrement. Ne pas remuer autant d'air pour rien. »

Il me considéra avec une pointe de mépris. « Vous avez donc perdu espoir ?

— Pas du tout. Mais, Roger, je ne vois pas le béné-fice de tout ça.

— Donnez-moi une seule bonne raison de ne pas le faire. Dites-moi en quoi ça peut lui nuire et j'arrête sur-le-champ. Je ne suis pas comme vous, Francis. Je ne peux pas rester assis les bras croisés.

— Tu devrais y aller doucement avec la poudre », lui dis-je.

Il faisait encore assez bon, le soir, pour cuire quelques côtelettes à la plancha. Un sifflement loin-tain provenait du ressac, une colombe roucoulait dans l'épicéa du voisin tandis que son compagnon venait de s'envoler en direction de la Rhune, dans le ciel étoilé qui flottait tranquillement au-dessus des Pyrénées. Il m'apporta des herbes.

Il fronçait les sourcils presque en permanence. Mais dès qu'il ne les fronçait plus, il ne paraissait plus si affligé. Judith ne m'avait pas suivi dans cette analyse et m'avait même reproché certaine dureté. Non seulement une certaine dureté quand j'exigeais des signes tangibles de sa souffrance – pâleur, maigreur, gémissements... –, mais aussi une certaine stupidité à s'engager dans une voie qui ne menait nulle part. « Serais-tu plus avancé s'il tombait malade ? Te sentirais-tu apaisé ? »

En tout cas, son état de santé ne m'alarmait pas. Est-ce que je pouvais dire ça ? Est-ce que j'avais la permission de dire ça ? Est-ce que je pouvais trouver qu'il n'avait pas si mauvaise mine, sans faire preuve de mauvais esprit ?

« Allons au casino, lui proposai-je à la fin du repas. Allons claquer un peu de fric. »

Je me levai. Je montai prévenir Judith et m'arrêtai devant la chambre d'amis entrouverte. Judith leur lisait je ne sais trop quoi de Jane Austen. Les jumelles en avaient la gorge serrée et se blottissaient contre leur grand-mère – dont l'état de conservation me suffoquait une fois de plus. Comment avais-je pu m'éloigner d'une telle femme ? Je devais être malade, me disais-je le plus souvent. J'aurais dû être satisfait d'avoir épousé une si jolie brune. Une vraie. Je devais être complètement aveugle.

Johanna aussi était brune. Sa lourde et magnifique chevelure s'était embrasée en un instant – comme si des flammes lui sortaient de la tête. J'avais serré Alice

44

contre moi mais quelques images avaient eu le temps de s'imprimer dans son esprit, de sorte qu'elle avait eu un bataillon de psys à ses trousses durant toutes ces années. Les soucis qu'elle m'avait donnés auraient pu remplir une carrière de pierres.

J'aimais Alice profondément, de tout mon cœur, mais j'avais encore mal dans les os de tout ce qu'elle m'avait fait endurer – accident de la route, OD, séjour en cellule de dégrisement, noyade. Je me préparais, cette fois, à recevoir un coup fatal, et Judith pouvait très bien, ma foi, se révéler mon unique soutien au cours de l'insupportable épreuve qui m'attendait. Sans doute devrais-je alors écarter un peu les jumelles pour m'étendre à ses côtés si tout disparaissait dans un nuage de poussière. Je ne devais pas faire l'idiot.

Lorsqu'elle posa les yeux sur moi, je lui souris et lui fis signe que je sortais.

*

Nous passâmes par la plage. « Je ne le pensais pas, dit-il.

— De quoi?

— Que vous restiez sans rien faire.

— Je ne suis pas resté sans rien faire.

— C'est ce que je dis. Que vous n'êtes pas resté sans rien faire. Je l'ai dit, mais je ne le pensais pas. »

Les planches sur lesquelles nous marchions disparaissaient sous le sable par endroits, puis réapparaissaient avec des reflets cendrés. Des mouettes tournoyaient, se laissaient planer dans le vent. La nuit était claire.

« Ce que vous devez comprendre, dit-il. Ce que vous devez bien comprendre. C'est que tout ce que fais, je le fais pour elle. Dites-vous bien que je le fais pour elle.

— J'aurais préféré que tu nous en parles avant.

— Oui, je le sais. Vous me l'avez déjà dit. D'accord. Je veux bien passer toute la nuit à m'excuser si c'est ce que vous attendez de moi.

— C'est une bonne idée. Tu peux commencer.

— Écoutez, Francis, écoutez, ça ne va pas vous tuer. Il ne faut pas *diminuer* les recherches, il faut *intensifier* les recherches. Les intensifier, vous comprenez? C'est comme ça que ça marche. Plus on parlera d'elle, mieux ça vaudra. Quoi? Vous ne regardez pas les actualités? Vous ne voyez pas le sort qu'on réserve aux inconnus? Vous ne voyez pas ça? »

Soudain, j'eus envie de manger une gaufre. L'océan figurait un vaste écran noir, luisant, sur lequel filaient des filaments bleus, glissait un courant d'air tiède puissamment iodé. Des fourneaux d'une baraque provenait une bonne odeur de pâte cuite vanillée.

« Je n'ai jamais autant entendu parler d'elle, déclarai-je. Je la vois partout. Alors qu'elle est absente. Je crois que c'est ça qui me heurte. Le contraste. Pour te parler franchement.

— D'accord. Très bien. Je comprends que ça vous

gêne. Mais vous devez le faire pour elle, Francis. Bordel de merde, Francis ! »

Je le regardai. Ses années de défonce, dans la pénombre présente, accentuaient son teint hâve, son air de financier malfaisant. J'avais informé Alice de mon opinion concernant ce jeune banquier – la banque appartenait à une branche de la famille installée à Monaco – qui passait des jours entiers sur le canapé de son bureau à délirer, le col défait, annulant ses rendez-vous un par un, défoncé comme trente-six barriques, etc., j'avais tenté de lui ouvrir les yeux mais en pure perte.

J'épousais Judith de mon côté. Je ne pouvais formellement m'opposer au concept du mariage dans ces conditions. Quoi qu'il en soit, je n'avais pas su me montrer ferme, ni assez convaincant, et nous avions convolé, l'un et l'autre, à un mois d'intervalle, en l'église Saint-Jean-Baptiste, à la saison des cerisiers en fleur, parce que le destin en avait décidé ainsi – parce que nous n'en pouvions plus, parce qu'il fallait éteindre les flammes.

Ces deux années-là. Qui avaient suivi l'accident. Les années de cauchemar.

Il m'arrivait quelquefois aujourd'hui, observant Roger, revoyant le parfait zombie qui épousait ma fille – et titubait dans la nef –, de reconnaître qu'il s'en était bien sorti – en dehors du fait qu'il s'habillait désormais en Ralph Lauren des pieds à la tête.

« Il y a une demande de rançon, Francis », me fit-il en grimaçant comme si je venais de lui écraser le pied. Je me figeai sur place. « Désolé, mais je n'avais pas le droit d'en parler », ajouta-t-il.

Je me raclai la gorge. « Elle est vivante ? demandai-je.

— Quoi ? Oui… Désolé, oui… Elle est vivante. Mais la police piétine, bien entendu.

— La rançon ? Quelle rançon ? C'est maintenant que tu me parles d'une rançon ? »

Je jetai la moitié de ma gaufre à la poubelle. Durant quelques secondes, la tête me tourna et je décidai d'aller m'asseoir sur un banc qui se trouvait là, flanqué d'un vieux tamaris éventré.

« Tu savais que je me morfondais, que je craignais le pire, tu savais par quelles angoisses je passais, mais tu n'as pas eu pitié. Tu n'as pas cru bon de m'accorder le moindre soulagement, n'est-ce pas ? »

Il se pencha vers moi. « Attendez, Francis, attendez, soyons clairs. J'ai fait passer Alice avant tout. Je suis désolé. La police a voulu travailler dans le plus grand secret. J'ai fait passer Alice avant tout. Je leur ai dit : "Okay, allez-y, j'ai réfléchi, je crois que vous avez raison" et je les ai laissés faire. Je suis désolé. »

Je le considérai un instant. « Mais enfin, d'où sors-tu ? lui dis-je. Comment peut-on être aussi naïf… Ils ont loupé leur coup, c'est ça ? C'est ce que tu es en train de me dire ? »

Des mouettes se disputaient ma gaufre – des particules de crème blanche voltigeaient alentour. Sous le coup de l'émotion, mes mains tremblaient.

*

Le lendemain matin, après une nuit atroce – Judith et moi avions eu un rapport sexuel épouvantable à la suite de cette sidérante révélation que Roger m'avait faite et qui m'avait rendu pratiquement impuissant, ce qui n'était jamais bon pour notre journée du lendemain, ni même pour les jours suivants, bien qu'elle s'en défendît –, je me dirigeais tout droit vers la machine à café quand mon gendre déboula sur ma droite. Il était sept heures du matin – heure à laquelle il était rare de le voir debout.

« On a les journalistes, dit-il.

— Quels journalistes ?

— Vous savez bien, Francis. Ne faites pas l'innocent. »

Je proposai de reporter l'entrevue au lendemain, mais il commença aussitôt à se lamenter, à gémir, à m'accuser de tout vouloir flanquer par terre, de me comporter comme le pire des égoïstes. « Ils viennent exprès de Paris. Je vous l'ai dit ? Je vous ai dit à quel point j'avais ramé pour les avoir ? »

L'aube se levait. J'actionnai la machine et me fis couler un « Livanto » en me demandant comment il fallait s'y prendre pour être toujours au même niveau sexuellement, à mon âge, quand on traversait ce que je traversais.

Je le dévisageai. « Il fallait *juste* réunir l'argent, il fallait *juste* suivre leurs instructions, il fallait *juste* leur apporter ce fric, voilà ce qu'il fallait faire. Ne rien tenter d'autre. Il fallait *juste* avoir un minimum de cervelle, Roger. Ne pas jouer au plus malin, ce n'était pas compliqué. »

Il méritait mille tourments pour avoir mis le sort de ma fille entre les mains de la police. Si je n'avais été convaincu de l'authenticité de ses sentiments pour Alice, je pense que j'aurais pu me jeter sur lui. Je l'entendais d'ici, cet abominable crétin. Parlant à d'autres abominables crétins. Montant une opération avec eux. Avec cette bande d'affreux cow-boys. Cette sombre bande d'affreux cow-boys incapables d'aller payer une rançon sans tout faire foirer. « Si je n'avais pas si mal, j'éclaterais de rire, lui dis-je. Tant de stupidité provoque l'effarement. Sincèrement, Roger. »

Il dansait d'un pied sur l'autre, le front baissé, silencieusement geignard, pressé que nous tournions la page. Le ciel était clair et limpide au-dessus de l'océan. De jeunes types arrivaient des parkings et descendaient vers la plage, d'une démarche un peu raide, avec leurs planches sous le bras. En ville, les limonadiers sortaient leurs tables et les charcutiers leurs jambons. Le marché ouvrait ses portes. Le premier vol pour Paris passait dans le ciel et amorçait une boucle au-dessus du golfe.

« On est au point mort », me fit-il sur un ton plaintif.

Je ne dis rien, je l'avais compris. « Complètement au point mort », bredouilla-t-il.

D'après lui, ma participation à l'interview était capitale. Le tremblement de mes mains n'avait pas totalement disparu. J'appelai A.M. Je l'avais eue la veille et lui avais annoncé qu'elle avait vu juste, qu'il s'agissait d'un enlèvement. « Mais nous n'avons pas parlé de la presse, lui dis-je. Et là, j'ai Roger devant moi, qui me parle d'une rencontre avec des journalistes, d'un rendez-vous arrangé avec eux... oui, je le lui ai dit... qu'il devait désormais s'abstenir, je le lui ai dit... il me fait signe que oui, il a compris... plus aucune initiative, oui, je crois qu'il a compris, il me fait signe que oui. »

*

Avais-je, à mon tour, bien compris qu'il s'agissait d'un entretien *filmé*? Il avait le chic pour me contrarier. Il jurait me l'avoir dit mais je n'en gardais aucun souvenir. Il m'affirma qu'il était trop tard pour annuler la rencontre. Il n'avait pas couru mais semblait soudain essoufflé. Je devais réfléchir, d'après lui. Je devais bien réfléchir. Ne pas cesser de penser à ma fille. Tout faire. Abandonner toute fierté mal placée. Ravaler toute fierté. Piétiner toute fierté si nécessaire. Passer au journal de vingt heures.

C'était le bouquet. Roger transpirait, mais il n'en

démordait pas. *Paris-Match* avait proposé de publier l'entretien dans son numéro suivant et *Voici* fouillait de nouveau dans ses archives – après le coup de fil que Roger leur avait donné.

Je devais ouvrir les yeux, d'après lui. Je devais voir ce qui se passait. Si l'on partait du principe que la notoriété valait mieux que l'anonymat, je n'avais pas le droit d'hésiter. Je devais aller au-devant des caméras et supplier les ravisseurs de la laisser en vie, de refaire une offre. Je devais leur dire quelle merveilleuse fille elle était, quelle remarquable mère elle faisait, quelle charmante créature on avait là – sans même parler du César qu'elle avait décroché six ans plus tôt, des promesses de sa jeune carrière, de son action contre le sida, etc. « Est-ce que j'ai le droit de fondre en larmes ? » demandai-je.

Il envoya Judith pour m'expliquer qu'il fallait profiter de la demande de rançon afin d'entretenir l'émotion autour d'Alice. Pour avoir vendu quelques centaines de milliers de bouquins, je n'étais pas tout à fait inconnu, et il mesurait très bien l'impact de mes lamentations sur le petit écran. « Je les mesure moi aussi, Roger. C'est extrêmement gênant. Je pense que ça ne va pas nous grandir. »

Avais-je donc décidé d'attendre qu'on m'envoie une de ses oreilles par la poste ? Ces choses-là n'arrivaient-elles qu'aux autres, d'après moi ?

Ils ont installé des éclairages dans le salon. Ils ont pensé que j'avais un problème aux yeux – qui avaient subitement pris la taille de têtes d'épingle. Une fille nous a maquillés. On nous a équipés de micros.

Je me sentais glacé de l'intérieur.

« Monsieur, on y va quand vous voulez. Vous avez froid ? »

*

Au moins, l'un d'entre nous se montrait-il satisfait. Le soir venu, Roger me toucha l'épaule et déclara qu'Alice avait le père qu'elle méritait. J'avais été parfait.

Une minute plus tôt, j'avais surpris Judith au beau milieu d'une conversation téléphonique à voix basse, en espagnol – je ne parle pas espagnol. J'avais reculé dans l'ombre en silence –, il m'avait semblé qu'elle se caressait la gorge dans la pénombre.

Je n'avais pas été un mari idéal pour Johanna, et je n'en étais pas un meilleur pour Judith, apparemment. Il y avait sans doute eu des leçons à tirer que je n'avais pas tirées.

« Je sais ce que vous pensez », me dit Roger. Je levai les yeux sur lui. « Mais c'était nécessaire, poursuivit-il. Faites-moi confiance, pour une fois. »

Je me tournai vers Judith qui apparut un instant pour nous avertir qu'elle devait repasser à l'agence – il était onze heures du soir. Je me contentai de hocher la tête et la suivis des yeux. Je trouvais presque injurieux qu'elle n'eût pas trouvé de meilleure excuse. Qu'elle ne s'en fût pas donné la peine. Retourner à l'agence à onze heures du soir. C'était tellement plausible.

Je me demandais si je n'allais pas en parler à A.M., si je n'allais pas la faire suivre pour en avoir le cœur net.

« Je préfère que nous ne mélangions pas les choses, me dit-elle. Je suis en train d'étudier cette histoire de rançon. J'aimerais me concentrer là-dessus.

— Fort bien, ai-je répondu. Fort bien, je n'insiste pas.

— Si nous voulons rester en bons termes, Francis. Croyez-moi. Adressez-vous à quelqu'un d'autre pour votre femme. »

Je pensai aussitôt, sans y réfléchir, à Jérémie. Je lui fis miroiter quelques billets pour un travail facile : je voulais simplement connaître l'emploi du temps de Judith, savoir où elle allait, qui elle voyait. « Cinq cents maintenant, et cinq cents à la fin de la semaine. Je prends les sandwiches et les frais d'essence à mon compte. C'est oui ? Alors tu es engagé, mon vieux. Mais inutile de mettre ta mère au courant de notre accord. Je ne veux pas d'ennuis avec elle. »

Judith rentra vers une heure du matin. Je me levai pour jeter un coup d'œil par le trou de serrure. Je la regardai se déshabiller. J'observai son air calme et tranquille.

*

Le lendemain matin, Roger déposa devant moi une demi-douzaine de journaux et déclara que nous avions bien travaillé. Il me montra le portrait d'Alice sur la page d'accueil de Yahoo. Des extraits de la vidéo où je trouvais le moyen de verser une larme sur laquelle on avait zoomé.

A.M. était remontée à Paris afin d'en savoir plus à propos de l'opération rançon qui avait échoué. « Elle peut nous étonner, dis-je. C'est une coriace. J'ai de bons rapports avec elle. Et l'avantage qu'elle a, l'énorme avantage qu'elle a, c'est sa disponibilité. Elle n'est pas tenue de s'occuper de cinquante mille choses à la fois. Contrairement à la police. Avec A.M., tout sera passé au peigne fin. C'est une méticuleuse. Je lui fais confiance. Bon Dieu, Roger, reprendre espoir est une chose terrible. Je ne l'avais pas complètement perdu, bien sûr, mais... Et me voilà de nouveau aspiré vers le haut. Tu ne peux pas savoir. Au moins je sais qu'elle n'est pas au fond d'un lac. Au moins je sais qu'elle n'est pas au fond d'une crevasse. Bien sûr que je ne suis pas rassuré. Évidemment. Nous savons toi et moi qu'il y a des cinglés partout. Je suis mort de peur. Je suis mort de peur. Pourquoi tardent-ils à nous contacter ? Pourquoi font-ils durer le plaisir ? À quoi ça rime ? Mais je préfère ça, Roger, je préfère ça au silence assourdissant. Qui m'anéantissait. Comme tu devais bien t'en douter. Tout ce temps sans nouvelles, Roger. Je suis resté tout ce temps sans nouvelles. »

Je ne me résignais pas à l'accabler, cependant. Je voyais bien qu'il se donnait à fond – même si je n'étais pas certain que sa stratégie fût la bonne ou se révélât seulement d'une utilité quelconque, ou fût seulement même appropriée. D'une certaine manière, il faisait partie de la famille à présent. Et cette famille était si décimée qu'il eût semblé peu judicieux d'en écarter le moindre membre, d'en couper la moindre tête. Eût-elle appartenu à un ex-junkie devenu banquier.

Je connaissais Roger depuis une dizaine d'années maintenant et, s'il m'avait causé quelques sévères frayeurs au cours des premiers mois de leur mariage – chaque mois avait compté, chaque mois avait apporté son lot d'ennuis et de soucis, chaque mois avait pesé –, je devais bien admettre, encore une fois, qu'il avait fait preuve d'une certaine force de caractère pour se sortir de là. Réellement. En fait, Roger était le parfait exemple du type qui avait décroché en beauté. Du jour où Alice était tombée enceinte – il avait juré qu'il arrêtait les drogues dures, tout jeté dans les toilettes. Je pouvais en témoigner. Il avait voulu que j'assiste à la scène. Que je sois là pour entendre son serment.

Lorsque je me remémorais cette époque, mes mâchoires se serraient.

« Le mécanisme s'est déclenché trop tôt, finit-il par m'expliquer. Je ne sais pas comment ça marche mais, à l'ouverture de la mallette, ma foi le truc opère, d'une manière ou d'une autre, et envoie une bonne rasade d'encre indélébile au milieu des billets, ainsi qu'à la tête du gars, et ça fonctionne parfaitement, la plupart du temps.

— Mon grand-père est mort à Verdun parce que son fusil, son Lebel modèle 1886, s'est enrayé pendant l'assaut.

— L'inspecteur a vu la mallette exploser sur ses genoux. Paf! Sans raison. Dans le grand hall de la gare de Lyon. Il avait dix minutes d'avance sur le rendez-vous. Il y a encore du bleu sur le sol. »

Retrouver espoir, dans mon cas, rendait étrangement nauséeux. Ainsi, je marchai jusqu'à l'océan tandis que Roger donnait à manger à ses filles. Et bien m'en prit car un spasme me plia en deux comme je mettais les pieds dans l'eau.

Vomir dans l'océan présente quelques avantages. Un instant, je titubai comme un homme saoul, puis je m'écartai de quelques pas et me penchai pour me rincer le visage. Par chance, nous n'étions plus en plein été, au milieu des hordes, et les promeneurs les plus proches avaient la taille d'allumettes. Le chien qui les accompagnait s'élança vers moi au triple galop, pénétra dans l'eau d'un bond et commença à se repaître avec ardeur des choses qui flottaient – tandis que son maître arrivait au petit trot en criant : « Rex! Rex! »

Je n'avais plus la résistance d'autrefois, je devenais plus fragile. Plus sentimental, disons le mot. L'absence d'Alice faisait resurgir les fantômes de sa mère et de sa sœur – et je n'avais pas besoin de ça. Et maintenant, *l'espoir.*

L'espoir insensé – qui ne reposait sur rien de très tangible, qui tordait les entrailles, qui envoyait des filets de morve au vent.

L'image de notre voiture en feu revenait – ma Saab 900 cabriolet intérieur cuir, que je ne faisais jamais dormir dehors. Ce spectacle hallucinant. Le ronflement des flammes. Le visage d'Alice enfoui dans ma poitrine. Ses cris, ses tremblements. Tandis que je regardais les deux femmes brûler comme des torches, les bras comme des branches de chandeliers. Johanna, leur mère. Olga, l'aînée de nos deux filles.

Je n'avais pas besoin d'une épreuve supplémentaire.

Je n'avais pas non plus besoin que Judith et moi fussions peu ou prou engagés dans un processus de rupture. Parallèlement.

D'où venait parfois cette impression que la vie se moquait de vous ?

*

Mes livres se vendaient assez bien à l'époque et, le jour de l'accident, nous étions en route pour Pampelune tous les quatre, je venais de vendre (cher) une nouvelle au *Playboy* allemand, mais Johanna et moi nous étions copieusement disputés la veille et personne n'avait ouvert la bouche depuis le départ de la maison.

J'attendais le moment où le coup allait s'abattre sur ma tête. Je fixais la route et tenais le volant à deux mains. Il me semblait que certaines choses avaient, certes, une surface, mais aucune épaisseur, de sorte qu'il ne fallait pas leur accorder plus d'importance qu'elles n'en méritaient – Johanna, et c'était regrettable, ne partageait pas ce genre d'opinion.

Il s'agissait d'un banal festival de littérature dans les Grisons. Les lectures s'enchaînaient jusqu'à l'aube et l'on pouvait boire à volonté. Dans les Grisons. Autant dire à la lisière du monde habité. Marlène et moi avions ri le jour de notre arrivée, apprenant que l'on nous avait réservé une chambre double. Dehors, on entendait des vaches, des cloches, des bruits de sabots. De la gare, il y avait presque une heure de trajet dans l'autocar du service postal, par une petite route longeant des précipices. Dès la tombée du soir, de grandes quantités d'absinthe circulaient et chaque séance de lecture engendrait de fortes poussées d'adrénaline qu'il était difficile d'endiguer. Perdu au fin fond des Grisons, à un jet de pierre de Sils-Maria où Nietzsche avait ses habitudes. Seigneur Jésus. Mais rien de tout cela n'était parvenu à éveiller la clémence de Johanna.

J'étais très branché Hemingway à cette époque et l'idée d'une virée à Pampelune me ravissait. Mais je déchantais, alors – bien que la matinée fût claire et lumineuse, l'air doux, l'autoroute dégagée.

J'avais attrapé mon téléphone et changé d'éditeur sur-le-champ, mais ça n'avait pas suffi. Johanna se sentait blessée. La crise durait depuis deux jours. Pas dormi la première nuit, par à-coups la suivante. Je pensais que les fêtes et quelques corridas bien saignantes nous changeraient les idées. Il le fallait. L'ambiance était détestable.

J'empruntai une bretelle et me garai sur le côté de la cafétéria, dans un peu d'ombre. J'interrogeai Johanna du regard. N'obtenant pas de réponse, je descendis. Je me demandais quelle tête aurait faite Ernesto à ma place. Puis Alice descendit à son tour. Je me demandais quelle tête les filles allaient faire quand Johanna allait leur expliquer pourquoi elle m'en voulait à mort. J'avais peur que leur faculté de jugement ne soit pas encore développée à cent pour cent et qu'elles ne me condamnent un peu trop vite. Cela étant, je ne me leurrais pas du sursis qu'on m'accordait. Je savais que Johanna finirait par craquer. Elle me l'avait dit. Elle n'en faisait pas mystère.

Alice me rejoignit devant le magasin. Je l'attendis en inspectant le ciel bleu au-dessus des forêts qui nous entouraient. En traversant les Pyrénées, Hemingway avait empli ses poumons de l'air de ces montagnes verdoyantes et moussues. Le saint homme.

Après quoi, Alice et moi allions cohabiter durant deux ans. Deux années terribles. Dans un trois-pièces. Quand il en aurait fallu le double. Ou même le triple.

*

Je n'étais pas en état de faire la lecture aux filles. Je déclarai à Roger que j'espérais qu'il le comprenait. Pour plus de sûreté, je prétendis que j'avais besoin de réfléchir à un éventuel prochain roman et le laissai s'occuper de sa progéniture tandis que je m'exilais dans le fond du jardin en prenant un air inspiré.

Jérémie apparut dès que Roger fut retourné à l'intérieur. Je remarquai qu'il avait un carnet à la main.

« Je crois que vous vous trompez, me dit-il. Elle a passé la journée à faire visiter des maisons. J'ai la liste.

— J'aimerais me tromper. Fais-moi voir cette liste, hum ? Mais dis-moi. Est-ce que tu connais un homme qui aime jeter son argent par les fenêtres ? Me prends-tu pour un idiot ?... Continue à la surveiller. Fais ce que je te dis. Ouvre l'œil. C'est une femme intelligente, tu sais. »

Il me prenait pour un idiot, bien sûr – j'étais certain, de mon côté, qu'elle le roulait dans la farine. Je lui indiquai le frigo, si jamais il avait envie de quelque chose. Il secoua la tête. Il ne comprenait pas que l'on puisse laisser filer une telle femme quand on avait la chance d'en avoir une.

« Va donc te servir une bonne glace au lait de brebis, insistai-je. Ne sois pas timide. »

On pouvait être à la fois timide et braquer une station-service avec un fusil de chasse. La preuve.

Roger, qui l'avait croisé une fois ou deux, le trouvait inquiétant, et sa mère, depuis qu'il était sorti de prison, lui enjoignait de trouver un travail au plus vite, estimant que l'oisiveté constituait la terre de prédilection des choses à ne pas faire.

Je le suivis des yeux, tandis qu'il s'éloignait, son chien sur les talons. « Quand vas-tu te décider à lui donner un nom? » lui lançai-je.

Lorsque Judith rentra de l'agence, elle m'interrogea sur la pâleur de mon visage. Très révélateur de la manière dont elle s'intéressait à moi, estimai-je.

*

Même chose le jour suivant. Elle avait tranquillement vendu ses maisons. Et même chose le jour d'après. « Écoutez, je crois que je ne vais pas pouvoir faire ça plus longtemps, m'annonça-t-il.

— Faire quoi, Jérémie? Tu ne vas pas pouvoir faire *quoi*, plus longtemps?

— La suivre. Ça ne me plaît pas beaucoup.

— Oh pitié. Ne fais pas ta chochotte. Oh là là. » Je posai mes mains sur ses épaules. « C'est un service personnel que je te demande, Jérémie. » Je le fixai droit dans les yeux. « Le moment est mal choisi pour me laisser tomber.

— Écoutez, je crois que je n'ai pas trop envie d'espionner les gens.

— Bien sûr. Heureusement. C'est juste pour cette fois. Mets-toi une seconde à ma place. J'ai besoin de quelqu'un en qui je puisse avoir confiance. »

En dehors de moi, je ne lui connaissais pas d'autre fréquentation. « Veux-tu que nous rediscutions tes tarifs ? »

Il déclara que c'était bon. Il ajouta que j'allais sans doute devoir me faire à l'idée que ma femme n'avait pas d'amant. « Jusqu'à preuve du contraire, fis-je, d'accord. »

Il se pencha vers moi.

« Mais qu'est-ce que ça peut vous faire, après tout ? Qu'est-ce que vous allez y gagner ? Je croyais que ça n'allait plus entre vous.

— Je veux savoir la vérité. C'est tout. Je m'en chargerais moi-même si Alice n'occupait pas tout mon esprit en ce moment. Crois-moi... Tu as besoin d'un job, ne l'oublie pas... C'est toujours mieux d'avoir un peu d'argent dans les poches. Tiens bon pendant une semaine ou deux. Réfléchis un instant, mon vieux. Pense que des types sont en train de laver des carreaux au soixantième étage d'un immeuble pour à peine mille euros par mois. »

J'avais sans doute tort d'évoquer cet aspect de la situation devant un garçon qui avait choisi la voie sombre. J'avais sans doute tort de dire à un jeune homme qu'il existait des boulots à moins de mille euros. Le matin même, j'avais vu un homme marcher sur la flèche d'une grue, dans le vent, à des kilomètres au-dessus du sol. J'espérais qu'il avait attaché son casque – un casque jaune que les premiers rayons de soleil prenaient pour cible.

« Tu aurais le meilleur professeur que tu puisses imaginer, lui dis-je. C'est loin d'être négligeable.

— Je sais. Le problème n'est pas là.

— Arrête. S'il te plaît. Bon sang. Regarde autour de toi. Jérémie. Regarde autour de toi. Ça ne plaisante pas, tu sais. À moins d'avoir l'intention d'écumer toutes les stations-service du pays, je n'ai pas l'impression que ce soit une si mauvaise option, détective. Moi, ça ne m'aurait pas déplu, quand j'y pense. Suivre des gens. C'était un peu ce que je faisais en écrivant, remarque. Ça ne m'aurait pas changé beaucoup. Entendons-nous bien : rien ne t'obligerait à faire ça toute ta vie. Mais remettre le pied à l'étrier. Tu dois faire ça. Remettre le pied à l'étrier, et je suis sûr qu'après tout ira bien. Détective privé, hein ? C'est mieux que d'être croupier, en tout cas. »

Ce genre de conversation lui faisait accélérer le pas, puis il me doublait et partait au petit trot avec son chien. Cette fois encore. Il n'y avait rien à faire. A.M. avait peut-être raison, au bout du compte, de s'inquiéter. Six années de prison n'étaient pas une petite épreuve. La douleur était profonde. La douleur avait de profondes racines.

*

À l'autre bout du fil, A.M. déclara qu'il était tout à fait aimable de ma part d'aborder ce sujet avec lui.

« C'est tout à fait normal, lui dis-je. C'est parfait si ça peut vous aider. »

Quelque chose la tarabustait. Il était encore trop tôt pour en parler, mais elle allait me tenir au courant. Je n'avais plus assez de forces pour chercher à en savoir davantage. « Ça va, Paris ? Vous avez le temps d'en profiter un peu ? » Je savais qu'elle voyait une femme, dans le quartier des Halles. « Comme ci comme ça, me dit-elle. Vous savez ce que c'est. Il faut vraiment se lever tôt pour établir une relation durable. »

J'avais eu l'occasion de voir une photo de son amie. Elle avait l'allure d'une maîtresse d'école.

« Je crois que ce chien lui fait beaucoup de bien, dis-je. Je crois que ce chien est votre meilleur allié. Vivement qu'il porte un nom, vous ne croyez pas ? »

Il suffisait de les regarder tous les deux : le chien abandonné et le jeune gars qui sortait de prison – déjà tout un poème en soi.

« Mais vous avez raison de prendre vos précautions, repris-je.

— Ça, je suis *extrêmement* prudente.

— Le moment serait mal venu, je crois. »

Je ne le connaissais pas suffisamment pour augurer de sa réaction s'il découvrait le pot aux roses. Quelque chose me disait qu'il n'apprécierait que très moyennement.

« Son père était le plus lamentable partenaire sexuel que l'on puisse imaginer, fit-elle d'une voix blanche.

— Vous avez certainement bien fait. Je n'en doute

pas une seconde. Mais il faut se méfier de l'image qu'un garçon a de son père. Y toucher, c'est comme de manipuler de la dynamite. Il vaut mieux le savoir, voyez-vous. Ne passe-t-on pas nos vies à expier les erreurs et les humiliations de nos pères ? »

Quand je raccrochai, Judith était assise en face de moi. Elle revenait de son jogging – il y avait comme un bouillon de particules invisibles autour d'elle.

« Est-ce que tout va bien ? me demanda-t-elle.

— De quoi parles-tu ? Certaines choses vont bien et d'autres vont moins bien. »

Elle eut un bref soupir puis leva les yeux pour signifier qu'elle ne voulait pas s'engager sur ce terrain. « Rien de nouveau ? » Je secouai la tête.

« Je lui fais entièrement confiance. S'il y a quelque chose à trouver, elle le trouvera. »

Nous appelions Alice *notre* fille, mais Alice n'était pas sa fille, ça ne faisait aucun doute. Je n'en voulais pour preuve que le sang-froid avec lequel elle vivait cette situation quand je savais que Johanna aurait été folle d'angoisse, comme je l'étais, moi, son père – parfaitement laminé.

Connaissant d'avance la teneur des propos qu'elle me tiendrait si j'en venais à lui reprocher son manque d'empathie, je me gardai bien d'émettre la moindre critique en ce sens. À quoi bon ? Nos plus mémorables disputes, par le passé, avaient éclaté à propos d'Alice – jusqu'au jour où nous avions décidé que le sujet était clos.

« Je n'ai rien contre ton amie, fit-elle après m'avoir considéré durant un instant. J'aimerais simplement être certaine que tu as fait le bon choix.

— J'ai connu cette femme sur les bancs du lycée. Nous sommes allés ensemble à des manifestations contre la guerre au Viêt Nam. À qui devrais-je faire davantage confiance ?

— Tu as couché avec elle ?

— Comment veux-tu que je sache ? Les soirées étaient plutôt confuses en ce temps-là. Beaucoup de produits circulaient. Quoi qu'il en soit, je ne dirais pas que c'est une amie. »

J'examinai attentivement, mais avec discrétion, ses jambes et ses bras à la recherche d'indices, de marques, mais je ne trouvai rien de probant.

*

J'essayai d'obtenir à nouveau ses faveurs, pour voir. Après le fiasco de l'autre nuit, je désirais en avoir le cœur net. Aussi, sans plus attendre, me donnai-je un coup de peigne et m'introduisis-je dans sa chambre à la tombée de la nuit.

Elle avait éteint. Une vague lueur traversait les épais rideaux. Je m'approchai. On aurait dit qu'elle m'attendait. Les draps étaient rejetés. Dans ses dessous Petit-Bateau, blancs.

En fait – je m'en aperçus vite –, elle dormait. Ou semblait dormir. Il faisait bon, nous n'avions pas encore allumé le chauffage. Entre parenthèses, mieux valait habiter au sud quand on voyait ce qui arrivait, la note de la facture énergétique – mieux valait passer l'hiver avec une bûche que d'avoir à brûler une montagne de bois. Le Pays basque faisait partie des bonnes solutions. Le pays était beau, l'herbe était verte, les vaches étaient les mêmes qu'en Suisse. Il y avait des coins où l'on pouvait pêcher la truite arc-en-ciel dans l'ombre de magnifiques sous-bois – à condition d'avoir bien préparé ses mouches – tandis qu'au-delà s'étendait l'océan – et son armée de surfeuses nubiles dans leurs maillots Eres. On pouvait préférer la Corse. Ou quelques villages sur la Côte, mais c'était bien tout. À la rigueur les rives du lac de Garde. Les coins n'étaient pas si nombreux.

La réveiller? Devais-je la réveiller? Au risque de passer pour un être bestial?

Sans être assuré que je n'allais pas m'effondrer en cours de route?

D'ailleurs, je ne bandais pas encore. Je regardais dehors, entrebâillant d'un doigt les rideaux. La dune était déserte. Au loin, les lumières du casino flottaient dans les tamaris. Je pensai à Alice, une fois de plus. Je remarquai que le rebord de la fenêtre s'écaillait.

Je me tournai et posai ma queue sur l'oreiller, près du visage de Judith. J'adorais être sucé, et, m'y prenant de la sorte, j'espérais réveiller un peu ma virilité, mais il ne se passa rien. Je me trouvais pourtant à deux centimètres de ses lèvres, de ses lèvres encore étonnamment pulpeuses, mais cela n'envoyait pas mon sang gonfler certains corps caverneux, à mon grand effarement. Je me reculai aussitôt. Il n'aurait plus manqué qu'elle ne me découvrît dans cette fâcheuse posture, dans le rôle du satyre impuissant. J'en frissonnai, rétrospectivement. Je reculai de quelques pas. « Toi, mon vieux, le Viagra te pend au nez, me dis-je. Bon, je crois que ça y est. On y est. On plonge. On... » Je titubai.

De retour dans ma chambre, j'étais en sueur, haletant. Glacé.

*

Quelques jours plus tard, le chien de Jérémie fut fracassé contre les rochers par l'une de ces énormes vagues qui avaient déferlé durant tout l'après-midi – il y avait eu un changement de lune. Son squelette fut mis en miettes et sa tête en pâté.

On retrouva deux autres chiens, des chats, et quelques vaches qui venaient de l'Adour – comme chaque fois, comme à la fin de chaque forte tempête, qui apportait également de la drogue, des liasses de billets, des cartouches de cigarettes, etc. La mairie employait des hommes pour nettoyer les plages de toutes ces choses plus ou moins malvenues, sanguinolentes pour certaines. Le chien de Jérémie n'avait plus une seule dent, sa langue était sectionnée.

Le soir tombait. Je savais qu'il cherchait son chien. Quelques heures plus tôt, il était venu, légèrement inquiet, me demander si je ne l'avais pas vu – parfois le chien se promenait avec les filles. J'avais tenté de le tranquilliser, lui rappelant à quel point l'animal s'était révélé vif, intelligent, éveillé – même à mes propres yeux, moi qui ne suis pas très porté sur les animaux domestiques – et donc assez malin pour se mettre à l'abri voyant que le temps se gâtait. Il en avait le teint presque gris. Derrière lui, l'océan grondait, des nuages bas filaient comme des sous-marins dans le ciel mordoré. « Tiens-moi au courant, lui avais-je dit. Sers-toi de ton téléphone. Aie confiance. »

Un instant plus tard, l'orage avait éclaté et, durant les deux heures qui avaient suivi, je les avais complètement oubliés, lui et son chien.

Roger était parti trafiquer je ne sais quoi en ville et les deux fillettes, qui prétendaient avoir vu un éclair traverser la maison, restaient accrochées à moi et tremblaient comme des feuilles tandis que le ciel s'illuminait, que d'assourdissantes détonations ébranlaient la maison tout entière.

Elles tiraillaient mon chandail. J'en avais une sur chaque genou. Se penchant pour me hurler dans l'oreille quand le ciel décochait un éclair au milieu des dunes. Une soudaine apparition, dans le jardin, alors que l'orage s'éloignait, provoqua leurs derniers cris – une sorte de spectre immobile sur les épaules laiteuses et fumantes duquel rebondissaient d'énormes gouttes.

Jérémie tenait la dépouille de son chien dans ses bras.

« Écoutez, les filles, déclarai-je. Vous devriez monter dans votre chambre. »

Mais elles avaient déjà bondi, ouvraient la baie et se précipitaient sur Jérémie sans que je pusse intervenir. Elles furent trempées des pieds à la tête en un clin d'œil.

Je fis rentrer tout le monde à la cuisine. Les filles gémissaient bruyamment, trépignaient. Jérémie semblait en état de choc. Je le débarrassai de l'animal que j'allai déposer sur le sèche-linge. Une poupée de son d'une dizaine de kilos, moyennement reconnaissable, au contact désagréable.

Je fis sortir tout le monde de la cuisine. Les jumelles s'accrochaient à moi en sanglotant, persuadées que je pouvais et allais faire quelque chose pour remettre ce chien en vie. Je les traînai jusqu'au bar afin de servir un verre de whisky à 70° – ô rivière de feu, ô revigorante brûlure – à celui qui semblait en avoir vivement besoin.

« Asseyons-nous, dis-je. Tâchons de respirer. Okay, les filles? Calmez-vous. Et toi, Jérémie, finis-moi ce verre, s'il te plaît. Je vais t'en servir un autre. Allons, les filles. Lâchez-moi une minute. Hurler ne sert à rien, vous savez. Où est votre père? J'aimerais bien savoir où il est. Vous êtes trempées. Allez chercher des serviettes. Jérémie et moi allons vous sécher. N'est-ce pas, Jérémie? N'est-ce pas, Jérémie? Mon pauvre vieux. Quelle tuile, dis donc. Ce pauvre chien. Mais assieds-toi donc, ne reste pas debout comme un idiot. Mais oui, ne t'inquiète pas. C'est du cuir imperméabilisé. Ne t'occupe pas de ça. Essaie de te détendre. Respire. Respire profondément. Alors comme ça, tu l'as retrouvé dans les rochers ? Au pied du phare, dis-tu ? Tu penses qu'il est tombé de là-haut ? Qu'il s'est heurté à un couple de gays irascibles tapis dans les fourrés ? Hum. Ça se peut. Ce n'est pas impossible. Je sais qu'ils n'aiment pas être dérangés. Mais tu n'as pas la preuve de ce que tu avances, j'imagine. Ces types auraient fichu ton chien à l'eau ? Et pourquoi ça ? Jérémie ? Regarde-moi. Qu'est-ce qu'il y a ? Attends une seconde. Écoutez-moi, les filles. Maintenant, je ne ris plus. »

Tandis qu'elles faisaient route en direction de l'armoire à linge située au premier, je me penchai vers lui :

« Tu es allé les faire chier, c'est ça ? Ne me dis pas que c'est ça, Jérémie. Regarde-moi. Tu es allé faire chier ces types ? Mais qu'est-ce que tu as dans le crâne, à la fin ? Tu vois le résultat ? Ton père ne t'a pas aidé, de ce point de vue. Il ne t'a guère rendu service, je te le dis franchement. »

Il baissait tant la tête que je ne voyais plus rien de son visage. Je ne savais pas s'il s'égouttait ou s'il pleurait. Il y avait à présent une odeur de chien mouillé répandue dans toute la maison. Une petite mare luisait à ses pieds. Une histoire lamentable de plus. Une histoire pleine de gâchis – dont le chien faisait les frais.

« Écoutez-moi. On ne peut pas enterrer un chien dans la forêt par ce temps, absolument pas. Ça friserait la démence, vous m'entendez? Creuser une tombe par ce temps, non mais vous rigolez? À la lumière des phares, j'imagine. Dans cinquante centimètres de boue. Sous une pluie battante. » Ils me firent remarquer que ça se calmait. Qu'en se levant, la lune avait asséché les champs noirs.

Je l'aidai à transporter le chien dans la malle arrière de ma voiture tandis que les filles fouillaient la maison et ramassaient toutes les lampes qu'elles pouvaient trouver – j'entendais les couverts valser dans les tiroirs, les portes des placards claquer.

En sortant, j'eus l'impression de plonger dans une piscine d'eau douce. Je laissai un message à Judith pour lui indiquer dans quelle aventure nous étions lancés, si jamais elle rentrait et trouvait la maison vide. Si jamais elle rentrait. Chose dont je n'étais absolument pas sûr. « Je ne sais même pas où tu es », ajoutai-je d'une voix qui me parut plaintive.

Je devenais de plus en plus sentimental, avec le temps. À persister dans cette voie, j'allais bientôt devenir grotesque.

Une demi-heure plus tard, nous nous arrêtâmes en pleine forêt. Il pleuvait encore assez fort. Il faisait nuit noire. Les fillettes, à l'arrière, hoquetaient encore un peu dans leurs mouchoirs. Je me tournai vers elles et leur fis promettre de ne pas bouger de là tant que Jérémie et moi serions à l'œuvre.

Très vite, notre besogne se transforma en bourbier.

La terre était noire, grasse. À mesure que nous creusions, le trou se remplissait d'eau. À travers la buée qui s'était formée dans la voiture, les deux fillettes nous observaient en roulant des yeux ronds. La pluie, autour de nous, bruissait comme du bacon dans une poêle à frire. « Je ne vais pas te poser la question jusqu'à la fin des temps, fis-je en criant presque pour qu'il m'entende. N'y compte pas. Alors une dernière fois, je te le demande, Jérémie, *est-ce que ça va ?...* sinon je te conduis illico aux urgences pour te faire soigner, okay ? Je te conseille de retrouver rapidement l'usage de la parole, okay ?... »

Pour commencer, il hocha la tête. Je lui déclarai que ça n'allait pas suffire.

« Oui, ça va, finit-il par lâcher. J'ai pas envie d'en parler. »

Les espèces de coupe-vent à capuches que nous avions enfilés, très à la mode chez les campeurs et les touristes, nous collaient à la peau comme du film à emballer les aliments sous vide.

« Ils ont assassiné mon chien ! » grogna-t-il entre ses dents avant de se remettre à creuser ardemment.

Je l'observai un instant. « Je n'en reviens pas que tu aies pu faire ça, finis-je par lui dire. Je suis abasourdi. C'est ta mère qui va être contente. Je crois qu'elle va être fière de toi. À double titre. Mais d'abord, tu n'en sais rien. Tu accuses ces gens, mais tu n'en sais rien. Tu n'as pas le droit de faire ça. »

Il se redressa et me dévisagea d'un air farouche, mais aucune parole ne franchit ses lèvres. Il jeta sa pelle sur le sol avec brusquerie et s'en alla furieux chercher son chien.

Nous en avions déjà parlé, il savait ce que j'en pensais, quelle était ma position à cet égard. Néanmoins, j'avais admis que lorsque ça tombait sur le père ou sur la mère, ça ne facilitait pas la tâche de l'enfant. Je pouvais comprendre le trouble de celui-ci. Je pouvais comprendre que rien ne tournait très rond dans la tête de cet enfant – mais on n'était pas non plus à l'abri d'attraper la rage ou la poliomyélite ou la folie des nombres.

Il resta un moment immobile, devant le coffre ouvert de la voiture – tandis que des trombes d'eau s'abattaient sur son crâne –, avant de se pencher pour prendre son chien. Une fois encore, je voulais bien admettre que la perte était rude pour un jeune gars qui sortait de six années de prison. Quoi qu'il en soit, tout ça n'était pas très bon pour ma carrosserie – je ne savais pas si l'intérieur du coffre était traité à l'antirouille, chez Audi.

*

Le lendemain, il fallut y retourner pour planter une croix sous peine de devoir affronter une double crise de nerfs – Alice les avait très mal élevées – et être catalogué de mécréant – Alice avait trouvé le moyen de les

75

faire baptiser et la religion pénétrait déjà leur jeune et vaporeux esprit. Depuis quand ne plantait-on plus de croix sur les tombes ? Quel genre de grand-père avaient-elles donc ?

Il faisait un très beau temps après les orages de la nuit. Le ciel était lavé. Ayant songé que nous pourrions profiter de l'occasion pour mettre la main sur quelques cèpes, j'acceptai – à condition qu'elles ne me missent pas à contribution pour la confection de la chose, car je n'avais pas l'esprit à ça.

J'hésitai à réveiller leur père. Je déjeunai. Je pris connaissance de mon courrier. Comme j'écrivais encore quelques nouvelles pour les journaux et que j'étais devenu d'une maniaquerie hors du commun au moment des corrections – j'étais connu pour être le pire de tout le pays, le type qui coupait vraiment les cheveux en quatre –, j'avais encore une certaine activité et cette activité ne me permettait pas de consacrer mon temps à leurs jeux, à leurs cérémonies, à leurs exigences tatillonnes, si bien que je les avais laissées dans le garage en priant pour qu'elles ne se blessent pas avec un outil tranchant ou autre.

Quant à moi, je ne pouvais me résoudre à assembler deux morceaux de bois – ou de quoi que ce soit – tant qu'il y avait une chance qu'Alice fût encore de ce monde.

Judith était rentrée au milieu de la nuit. À présent, elle dormait.

À quoi bon la réveiller, elle aussi ? La conversation

des jumelles, à la réflexion, était sans doute ce qui me convenait le mieux, en cette journée lumineuse, aveuglante. Une légère brise venait de l'océan, mêlée à l'odeur des tamaris. Je retrouvai les filles et j'examinai la croix qu'elles avaient fabriquée avec des morceaux de cagette et des clous tordus. « Du beau travail, leur déclarai-je aimablement tandis que j'actionnais la porte du garage. J'en connais un qui va être content. »

Je ne parlais pas de Jérémie. Néanmoins, c'est ce même Jérémie que je découvris dans mon rétroviseur comme je mettais le contact. J'envoyai un coup d'œil glacé aux filles. Puis je fis marche arrière et m'arrêtai à sa hauteur.

« Je vais te donner mon sentiment, lui dis-je après l'avoir dévisagé un instant. Rentre chez toi. Laisse-nous nous occuper de ça. »

On aurait dit qu'il serrait les dents de toutes ses forces. Pour finir, je l'invitai à monter. « Je te disais ça pour ton bien », fis-je en prenant la route. D'un sac de toile qu'il portait en bandoulière, il sortit une croix, étonnamment sculptée, ouvragée, polie, miroitante comme un vieux et beau parquet fraîchement ciré.

Les filles poussèrent des cris d'émerveillement. Il haussa les épaules. Il expliqua qu'il avait développé ce passe-temps en prison. Qu'il devait au moins ça à son ami, son compagnon, cette croix décorée avec soin.

C'était tellement puéril. Du niveau des jumelles qui n'allaient pas tarder à réclamer de l'eau bénite – mais les fillettes étaient encore en âge d'enterrer les scarabées morts... et lui en âge de braquer une station-service.

Il avait dû y passer toute la nuit. C'était si puéril. Je n'avais pas besoin de voir dans quel état étaient ses mains pour me faire une idée de l'épreuve qu'il traversait – mais j'avais un peu de mal à compatir, eu égard à celle que je traversais moi-même.

Quoi qu'il en soit, il envoyait des ondes très négatives. Je le soupçonnais de profiter de l'absence de sa mère pour ne rien manger. Avant son départ, A.M. avait rempli le congélateur de portions individuelles à placer directement dans le micro-ondes, mais cela semblait être un effort qu'il ne pouvait pas fournir. Il devenait d'une pâleur extrême.

Durant le trajet, il ne prononça pas une parole. Je ne savais pas si j'avais tort ou raison d'accomplir cette stupide démarche à leurs côtés. Or c'était de moi, me semblait-il, étant le plus vieux de la bande, de ma part que l'on aurait pu attendre un peu de sagesse. De mettre dès le départ un frein à cette virée qui ne nous valorisait pas, ni les uns ni les autres. Néanmoins, je ne l'avais pas fait. Je n'avais pas claqué dans mes mains pour les faire redescendre sur terre, tous les trois. Je n'avais pas mis de holà. J'avais ouvert la portière et prié Jérémie de s'installer.

J'aurais été bien en peine de dire devant quoi je capitulais, mais le résultat était là, sur cette route qui serpentait dans les sous-bois et montait vers le col, dans une ambiance aussi lourde qu'on pouvait l'imaginer.

La croix que Jérémie avait sculptée, le talent et l'ardeur qu'il avait visiblement consacrés à sa fabrication rendaient l'opération encore plus solennelle, encore plus écrasante. Exactement ce qu'il fallait éviter. Mais il était trop tard pour faire demi-tour, à présent.

Un peu plus tard, Jérémie se pencha sur mon lecteur et fit défiler mes listes. « Je peux mettre Current 93 ? » demanda-t-il tandis que nous approchions du but – une pluie de pétales d'or, tombant des frondaisons, frémissait sur la chaussée encore luisante des fortes averses qui s'étaient succédé durant la nuit. J'acquiesçai. Je n'étais plus à ça près. Dans le rétroviseur, je voyais les jumelles, je voyais leurs mains jointes, je voyais leurs lèvres bouger et je me demandais si elles n'étaient pas en train de réciter une espèce de prière.

Nous avions enterré le chien sous une pluie battante mais assurions à présent la cérémonie funèbre par une de ces fameuses journées d'automne pleines de grâce que le monde entier nous enviait. Le golfe qui s'étendait derrière nous, de la côte espagnole à l'horizon, figurait un pur écrin illuminé d'améthystes, de saphirs, de turquoises, etc. Ernesto se promenait souvent par ici. Je veux dire Ernest Hemingway se promenait souvent par ici. Il répétait qu'il n'existait aucun meilleur endroit au monde pour un écrivain. Il exagérait à peine. Il venait régulièrement dans ce coin en compagnie d'une de mes tantes, ramasser des cèpes et faire la sieste sous les chênes et les châtaigniers séculaires. Ce fier gaillard.

Jérémie s'était muni d'un marteau et de clous gros comme le doigt pour fixer les deux croix. Le tronc au pied duquel son chien était enterré semblait aussi dur que de la pierre. Il m'avait prié de laisser les portières ouvertes afin que l'on pût entendre quelques-unes de ces sinistres mélodies dont David Tibet avait le secret – tandis que ses sombres coups de marteau résonnaient dans la forêt et que les jumelles pataugeaient dans la boue à la recherche de feuilles et de fleurs pour la décoration. Je me tenais un peu en retrait, mâchant une gomme à la nicotine, feignant de ne pas voir un vol de corbeaux à l'aplomb de la clairière où se déroulait la scène. Il me tardait de m'aventurer dans le sous-bois car je percevais une très distincte odeur de champignons frais. Alice adorait les cèpes. Rien que d'y penser, des larmes coulèrent le long de mes joues. Faisant fausse route, Jérémie approuva en silence.

*

Je passai une bonne partie de l'après-midi dans le jardin, à nettoyer le panier de cèpes que j'avais arrachés à la forêt et à m'interroger sur Jérémie, sur ce qu'il allait devenir.

Roger avait emmené ses filles au cinéma après m'avoir reproché d'être un piètre grand-père – il faisait allusion à l'état dans lequel je les lui avais ramenées, yeux rouges et crottées des pieds à la tête, etc. Je n'avais pas relevé.

80

J'avais besoin d'un peu de tranquillité après l'épisode de l'enterrement.

À notre retour, Judith était déjà sortie. Je l'avais appelée, puis j'avais trouvé sa chambre vide, son lit défait. J'ai fait le numéro de Jérémie pour lui demander de reprendre aussitôt sa filature, mais la ligne a sonné dans le vide. Allons bon. Que fabriquait-il, avec son téléphone ? À l'heure qu'il était, elle se trouvait peut-être dans une chambre d'hôtel, en compagnie de son amant. Il fallait s'en assurer. Mais Jérémie ne répondait pas. Ce n'était pas très professionnel de sa part.

Roger et les filles étaient partis à la séance de 16 h 30. Le ciel commençait à rosir. Les horaires de Judith devenaient de plus en plus extravagants. J'avais confiance. Je savais que, tôt ou tard, elle commettrait une erreur et se ferait prendre. À condition que Jérémie ouvre les yeux et ne reste pas vautré dans un fauteuil à attendre la fin du monde.

Avant d'accéder à sa boîte vocale, il fallait écouter, durant quarante-cinq secondes, un groupe anglais particulièrement agité qui vous mettait les tympans au supplice. « Okay, Jérémie. Rappelle-moi. De toute urgence. Dès que tu entendras ce message. Rappelle-moi d'extrême urgence, tu veux ? » Mais le soir tombait et il ne rappelait pas.

Judith pouvait prendre tout son temps avec un tel amateur sur ses traces. J'emportai mes champignons à la cuisine, les rinçai, puis je retournai dehors. Je rappelai Jérémie. « Écoute-moi. J'ai besoin de savoir si tu as des œufs. Si tu peux m'en céder ou si je dois retourner en ville. Alors, s'il te plaît, décroche ton téléphone. Les petites vont rentrer et elles vont être affamées. Ça va faire un drame. Tu veux bien me répondre ? Merci. »

Sans doute l'avais-je cherché – du moins n'avais-je pu m'empêcher de désirer une copie, un double de Johanna et rien d'autre –, sans doute n'avais-je pas volé ce qui m'arrivait de ce côté-là. Je ne revenais pas là-dessus. Dieu sait que je n'avais rien voulu de tout ça. Je ne souhaitais rien d'autre à présent que d'avoir la capacité d'encaisser et de m'en tirer sans trop de dégâts. Je connaissais toutes les données du problème. J'aurais certainement fait la même chose que Judith si j'avais été à sa place. Ou pire, qui sait ?

Quoi qu'il en soit, je rappelai Jérémie. Nous étions convenus que je pouvais le joindre à n'importe quel moment en raison du job que je lui avais confié. Je lui remis sèchement la chose en mémoire, par le biais de son répondeur, sans oublier de le remercier pour les œufs.

Plus le temps passait, et plus j'étais persuadé que Judith était en train de se donner à un autre homme dans une chambre des environs. La région pullulait de ces petites auberges de luxe en demi-pension, parfaitement discrètes, de véritables havres – s'il s'agissait d'enlever une femme et de lui tourner la tête, ma foi, ce pays faisait très fort.

Un tel scénario me faisait grincer des dents. Je me

sentais incapable de rester en place. Je me mis debout pour découper les cèpes en rondelles et lanières, le souffle court. J'éprouvais un fort sentiment de honte en observant ma triste réaction, ma vaine agitation, sentant le feu me monter aux joues. Mais une bonne part de moi s'entêtait.

J'avais de telles visions, de telles horreurs à l'esprit que j'en suffoquais presque. J'entendais presque les râles qu'elle poussait, les mots qu'elle glissait dans l'oreille de l'homme alors qu'elle transpirait sur lui. Impossible d'y échapper. Je m'assis, triturant un torchon.

La nuit commençait à tomber, apportant un air plus frais, absolument bienvenu car mes tempes étaient brûlantes. Je me levai. J'ouvris la bouteille de Butane et allumai la plancha.

Je fis revenir les cèpes. Je coupai l'ail et le persil. Je pensais pourtant m'être sorti de toutes ces histoires, l'âge venant. Je croyais avoir compris que ces histoires ne valaient plus la peine que l'on se donnait hier encore pour les vivre, je croyais avoir compris que l'on était parvenus à un niveau supérieur, que l'on pouvait ne plus jouer à ces jeux idiots, que l'on pouvait s'en dispenser et j'étais là, frissonnant au crépuscule comme un collégien, totalement désarmé, terrassé.

Mais que fabriquait donc cet abruti de Jérémie? Je commençais à en avoir assez. J'étais accablé par ce que je voyais, accablé par l'abandon dont elle faisait preuve entre les mains du chimpanzé qui la possédait dans toutes sortes de positions. Je mâchai une nouvelle gomme à la nicotine – je faisais parfois des cauchemars dans lesquels je venais à en manquer et projetais d'aller attaquer une pharmacie avec un marteau.

Je terminai la cuisson et fis glisser les champignons dans un plat que je recouvris. En omelette, c'était l'un des meilleurs plats au monde. En fait, je n'étais jamais étonné lorsque j'entendais dire que untel ou untel était tombé sous le charme de ce pays – des écrivains extrêmement célèbres descendaient de Paris pour enquêter sur nos mœurs et prendre des notes, et ces types-là avaient du flair.

Je pris ma voiture. En moins de trois minutes, après avoir filé au milieu des pins et des bruyères en rongeant mon frein, je me garai résolument devant le pavillon qu'il occupait avec sa mère et m'apprêtais à lui apprendre son métier – qui consistait à ne pas s'endormir à l'heure où la femme du client commettait l'adultère.

Je me faisais fort de lui expliquer qu'il devait prendre son travail bien plus à cœur s'il voulait se faire un nom dans la profession. Qu'il ne pouvait laisser ses propres humeurs le distraire de sa tâche. En aucune façon. Pas en ces temps sombres où se maintenir la tête hors de l'eau relevait du tour de force, où sauver sa vie et celle de ses proches n'allait pas de soi. Qui donc doutait encore que les lois du marché fussent impitoyables pour ceux qui les ignoraient ? Qui donc pouvait encore affirmer que l'Occident progressait vers la lumière ?

La lune brillait. Je restai un instant derrière le volant avec l'espoir qu'un sursaut de dignité me ferait rebrousser chemin, mais je ne vis rien apparaître de la sorte.

Judith choisissait le plus mauvais moment pour me faire ça. Je lui en voulais donc doublement et ne rencontrai aucune difficulté pour descendre de mon véhicule, m'avancer dans le jardinet des Lémo essentiellement composé de touffes d'herbe et de sable, décoré de quelques pommes de pin qui avaient roulé, ainsi que d'aiguilles couleur crème, et pas davantage pour cogner à la porte. Il y avait de la lumière au premier. Je sonnai. « Jérémie, c'est moi ! » fis-je à voix haute, en dansant d'un pied sur l'autre.

Je patientai une seconde puis actionnai la poignée. C'était ouvert. Il était encore avec Joy Division dont me parvenait le chant étouffé. La cuisine était éclairée. « Aurais-tu quelques œufs à me prêter ? lançai-je en me dirigeant vers le frigo. J'ai appelé, mais tu ne répondais pas. Silence radio. »

Je tombai sur une tranche de jambon verte, un reste de pâté basque noir, des spaghettis jaunes, très jaunes, très raides, presque translucides. Deux œufs pondus au siècle dernier se battaient dans un coin, près d'un morceau de tomme de brebis en voie de pétrification. A.M. se demandait si son fils mangeait correctement durant son absence. Je n'allais pas pouvoir la rassurer, dans l'immédiat.

Les doigts d'une seule main n'auraient pas suffi à compter le nombre de soucis que Jérémie occasionnait.

Raison de plus, me disais-je, pour l'occuper et le remettre illico sur la piste de ma femme qui dînait sans doute aux chandelles à cet instant même, dans une chambre douce et obscure de l'arrière-pays, simplement vêtue d'une minuscule nuisette dont l'épaisseur ne dépassait pas un micron, les cheveux défaits, etc., les joues rosies.

Le salon sentait la cendre froide. Il y avait une photo de son père sur la cheminée, posant avec son vélo de course et ses Oakley sur le front. Souriant stupidement, selon moi. Je me demandais si un homme pouvait se révéler capable de transformer une femme en lesbienne, ce qu'il fallait bien fabriquer pour qu'une femme veuille en finir pour de bon avec l'espèce masculine. Je trouvais le personnage fascinant. Chaque fois que j'avais mis les pieds dans ce salon, je m'étais approché et avais contemplé le spécimen pour tenter de percer un tel mystère : comment un homme pouvait-il tant démériter ? Il avait l'air d'un type qui buvait du lait toute la journée. « Crois-tu être en mesure de descendre afin que nous puissions parler ? lançai-je par-dessus mon épaule tout en examinant le portrait de l'étrange individu. J'ai deux mots à te dire, figure-toi. »

Les mauvaises langues prétendaient que la crise cardiaque dont son père avait été victime, une dizaine d'années plus tôt, n'était pas naturelle mais consécutive à l'absorption de stupéfiants dans la montée du Galibier.

J'étais mauvaise langue. Il n'était nullement prouvé

qu'un quelconque comportement de cet homme fût à l'origine du dérapage d'A.M. Je m'étais juré de l'interroger sur la question, mais n'en avais encore rien fait. Je n'étais pas certain que nous eussions atteint un niveau d'intimité suffisant pour aborder le sujet.

Je me demandais si Jérémie se posait les questions que je me posais sur son père, sur le genre de mari qu'il avait été pour A.M.

Quel genre de père avait-il été? Quel genre de père avais-je été moi-même? Je me tournai vers l'escalier au pied duquel un guéridon supportait une plante verte sans grand intérêt et j'insistai : « Dis donc, Jérémie, mon gars, tu crois que j'ai toute la nuit ou quoi? »

*

A.M. arriva par le premier avion du matin, dans l'aube à peine levée, encore bleue et fraîche. Très vite, je lui confirmai que Jérémie était tiré d'affaire mais ne s'était pas encore réveillé et je la conduisis vers l'hôpital cependant que le soleil dardait ses premiers rayons sur les massifs alentour – le sommet de la Rhune, émergeant de l'ombre, rutilait.

Je lui épargnai les détails. Je lui épargnai le sang. Je lui épargnai les vomissures. Je ne lui révélai pas que je l'avais trouvé ivre mort – et par là incapable de se saigner proprement, ayant choisi un couteau à pain dentelé comme une égoïne pour mettre fin à ses jours.

Malgré tout, elle tremblait. Malgré les précautions oratoires que je prenais, elle se mordait les lèvres. Elle me laissait parler, hochait la tête en signe d'approbation au fur et à mesure que je déclinais mes différentes initiatives au cours de cette nuit tragique, mais elle n'avait pas prononcé plus d'un mot ou deux depuis que nous avions quitté l'aéroport, fixant la route avec hébétude. De fins nuages bleus filaient au-dessus de l'océan, en direction de la Côte des Basques.

Je lui pris les mains après que nous fûmes assis dans la salle d'attente – face à une adolescente en minijupe, les yeux maquillés au charbon de bois, qui donnait le sein en mâchant un chewing-gum sans répit.

Je me penchai vers A.M. « Ça va aller, lui dis-je. Ne vous en faites pas. » Elle venait de voir son fils derrière une vitre, inconscient, perfusé, après avoir passé une nuit blanche à errer dans Orly pour attraper le premier vol, aussi l'avais-je prise par un bras et entraînée vers une chaise.

Dix ans s'étaient abattus sur elle en l'espace de quelques heures. Sa peau s'était chiffonnée, son teint avait blêmi. « Il n'est pas le premier à faire ça, déclarai-je pour tenter de la revigorer. Le nombre d'adolescents mal dans leur peau qui font ça. Ils sont légion, allez. Lorsque l'on prend conscience que toute cette vie n'est qu'une farce, etc. L'accepter sans broncher n'est pas donné à tout le monde. Que voulez-vous, ce sont les plus lucides qui trinquent, A.M., nous n'y pouvons rien. Ça n'a jamais changé et ça ne changera jamais. »

Elle ne m'écoutait pas, se contentait de pleurer en silence. À présent, la fille se promenait de long en large avec l'enfant qui pleurait lui aussi – couinait comme un goret qu'on égorge. « C'est mon lait, lâcha-t-elle en passant près de moi. C'est de la flotte. »

*

S'adressant à Judith, Roger déclara que j'avais sauvé la vie de ce garçon, que je le veuille ou non, et ma femme lui répondit qu'elle en convenait.

J'affichai un vague sourire. Mon rôle s'était borné à appeler les secours tandis que le sang continuait à couler de ses bras. J'avais également arrêté la musique. Joy Division ou pas.

Après le repas, je m'endormis sur mon bureau au lieu de m'attaquer à la rédaction d'une préface destinée à la réédition de quelques-unes de mes nouvelles, illustrées par Tomi Ungerer. Je n'avais pas fermé l'œil de la nuit. Je tombai.

J'avais fait cette promesse à A.M. de ne pas quitter son fils tant qu'elle ne l'aurait pas rejoint et je m'y étais tenu. J'avais marché toute la nuit dans les couloirs – savoir Judith sans surveillance m'empêchant de fermer l'œil – et j'en payais le prix au beau milieu de l'après-midi, sommeillant sur mon canapé de cuir, au milieu de mes livres, de mes DVD, de ma musique, de mes ordinateurs, de mes stylos, de mes médicaments. Pour transporter ce canapé, que je tenais de ma tante, dans mon bureau du premier, il avait fallu les efforts conjugués de quatre déménageurs du coin, taillés comme des armoires – des hommes qui occupaient leur temps libre à lancer des troncs d'arbre ou porter des rochers pour le plaisir. Je ne savais pas si c'était parce que Hemingway s'y était assoupi à différentes reprises, du temps où il prenait pension chez ma parente, mais je m'y sentais parfaitement bien. J'aimais son odeur. J'aimais la manière dont il vieillissait. Je n'hésitais pas à m'y installer pour noircir quelques pages ou lire le journal, mais y dormir était encore ce qu'on pouvait y faire de mieux.

Lorsque Johanna avait appris que j'avais couché avec mon éditrice, le soir même ce canapé était devenu mon lit jusqu'à nouvel ordre, et je l'avais trouvé confortable. J'étais persuadé que les choses finiraient par s'arranger car mes sentiments pour elle étaient intacts, quoi qu'elle en pensât. J'avais fait le dos rond, guettant l'issue de cette crise avec impatience, tandis que l'œil noir de Johanna me fusillait chaque fois que je la croisais dans une pièce ou dans une autre.

Il ne m'avait pas été accordé de regagner le lit conjugal avant que la mort ne l'emporte, je n'avais pas eu cette chance, et cette blessure tardait à se refermer. Je désespérais de la voir se refermer. Douze ans après, elle semblait toujours aussi fraîche. Sa guérison ne faisait aucun progrès.

Je somnolai. A.M. appela pour dire qu'elle devait me parler. Je remis à plus tard. Je descendis. Mes paupières étaient encore trop lourdes pour que je puisse participer à une quelconque discussion. Je parvins cependant à me traîner vers la porte qui séparait ma chambre de celle de ma femme. Je plaquai mon oreille contre le panneau. Je n'entendis rien. Agacé, je mis mon œil à la serrure. Son lit était vide. Mon cœur fit un bond. Puis je réalisai qu'elle n'avait pas découché contrairement à ce que je pensais. Car nous n'étions pas le matin, mais le milieu de l'après-midi. Je regagnai mes sombres draps.

Le soir tombait, quand je décidai de me lever. Je croisai Roger qui montait coucher ses filles. Lucie-Anne était juchée sur ses épaules, Anne-Lucie lui donnant la main. Il était en train de leur raconter quelque chose de drôle.

Ce type avait un talent exceptionnel. Il fallait être fort pour opposer un tel front au malheur qui nous frappait, pour avoir le teint aussi frais, l'œil aussi luisant, le verbe aussi léger. Quelques jours plus tôt, je m'étais accroché avec Judith à ce sujet, celle-ci décrétant qu'elle ne trouvait aucun avantage à se complaire dans la désolation.

Ainsi, je me complaisais dans la désolation? C'était se complaire dans la désolation que d'avoir du mal à sourire? C'était se complaire dans la désolation que de manquer de punch?

Je m'interrogeais parfois sur les séquelles dont pouvait souffrir un cerveau que Roger avait mis à rude épreuve par le passé. Je l'avais trouvé plus d'une fois à demi conscient – et pour ma part proprement effaré de voir entre quelles mains était tombée ma fille –, un jour sur le carrelage de la salle de bains, un autre enroulé dans le tapis du salon, ou un autre jour encore au milieu de l'escalier qui menait à la cave où je gardais quelques bouteilles de vin, la bave lui coulant jusqu'aux oreilles – une main tendue vers mes blancs secs qu'il n'avait pu atteindre.

Le mariage l'avait ressuscité. L'idée n'était pas venue de moi, bien sûr, mais je dus très vite admettre que le garçon avait des ressources et qu'il avait repris, sinon le droit chemin, du moins celui qu'on attendait d'un père de famille relativement responsable. Durant des mois, tandis que je filais le parfait amour avec Judith, j'avais guetté avec angoisse l'annonce d'une catastrophe de leur côté, mais ni l'hôpital ni la police n'avaient appelé. Cela signifiait-il que Roger fût sorti indemne de ses excès de l'époque? Des multiples produits qu'il s'était administrés? Je me le demandais lorsqu'il faisait preuve de jovialité ou m'expliquait ce qui nous attendait avec un baril de pétrole à plus de deux cents dollars. Je me demandais s'il allait bien quand je le voyais en arrêt devant une boutique de surf ou la vitrine d'un chocolatier renommé. Je me demandais si toutes ses idées étaient bien en place, car moi, je n'avais envie de rien.

Je trouvai Judith en bas. Je ne comprenais pas l'espagnol mais je comprenais qu'elle parlait de la propriété que Karl Lagerfeld avait revendue, à la sortie de la ville. Des chiffres étaient échangés.

J'avais épousé une femme d'affaires. Je ne m'en étais pas aperçu au début, car j'étais son premier client, mais le résultat était là. Elle gagnait à présent beaucoup plus d'argent que moi et le peu d'ascendant que j'avais pris sur elle, au départ, en ma qualité d'écrivain culte publié chez les meilleurs éditeurs, s'était aujourd'hui volatilisé. Je ne l'impressionnais plus.

À tel point que mes livres s'empilaient sur sa table de nuit, à portée de main, prêts à être lus, caressés, dévorés. Je lui disais que je m'en fichais. Que je savais que les journées étaient trop courtes. Que je ne lui en voulais pas une seconde. Mais elle insistait pour les garder auprès d'elle car elle allait s'y mettre à la première occasion.

Je ne prétendais pas être un homme très facile à vivre – aucune femme saine d'esprit ne peut se réjouir très longtemps de partager la vie d'un écrivain. Je ne prétendais pas davantage lui apporter tout ce qu'une femme était en droit de réclamer. Soit. Mais cela l'exonérait-il d'un minimum de délicatesse à mon égard? Avait-elle décidé de ne rien m'épargner? S'agissait-il d'une vengeance, d'une volonté de me faire souffrir?

Le soir tombait. Je me dirigeai vers la machine à café. Levant les yeux sur Judith, j'eus l'impression qu'elle terminait sa conversation dans un murmure.

« Tout va bien? demandai-je.

— Tout va bien », dit-elle.

Le vent du soir s'était levé, la lune brillait. Quant à moi, son regard était devenu impénétrable. Désormais, elle n'hésitait pas à me toiser. Elle aimait utiliser son impeccable espagnol devant moi. Pour me narguer?

L'eussé-je amplement mérité, ce n'était pas très aimable de sa part de ne pas prendre de gants avec moi, de m'imposer les faits sans aucune précaution, sans la moindre explication sérieuse concernant ses sorties, ses absences, etc. – sans même parler de ce studio qu'elle avait loué à San Sebastián.

Lorsque j'y réfléchissais, je devais admettre que l'on ne connaissait rien de la douleur d'autrui, qu'il n'y avait pas d'étalon, que l'on pouvait être surpris, stupéfait, abasourdi par les dégâts que l'on occasionnait chez les autres. Comme de tuer quelqu'un d'un coup de poing dans une bagarre de rue. Je ne savais rien, au fond, du mal que je lui avais fait. Je ne savais pas si elle me rendait les choses au centuple ou si j'étais encore loin du compte.

« As-tu des nouvelles fraîches? demanda-t-elle.

— Non, je dormais.

— Pauvre femme.

— Absolument. Il lui en fait voir. Elle en voit de toutes les couleurs, avec lui. Je t'ai raconté comme il avait aspergé de sang les murs de la salle de bains?

— Oui.

— Le plafond m'a fait penser à du Jackson Pollock.

— Tu me l'as déjà dit. N'en rajoute pas, je vois très bien le tableau. »

Elle me fit signe qu'elle devait écouter ses messages. À présent, elle réglait la plus grande partie des factures. Elle prétendait que ça ne signifiait rien pour elle. Et qu'il ne serait que pur et stupide orgueil de ma part de m'en offusquer. Mais je voyais bien le plaisir qu'elle prenait à tenir les rênes du ménage, à payer les fournisseurs, à glisser un chèque dans une enveloppe sans afficher la moindre réaction, à donner les numéros de sa carte d'une voix égale. D'un seul coup, elle pouvait refaire la toiture ou changer le mobilier du jardin sans avoir à m'interroger sur nos capacités financières. Je me demandais si je n'avais pas commencé à la perdre à partir de ce moment-là, si je n'avais pas mis un pied sur le terrain de ma disgrâce le jour où elle m'avait surpris en train de m'étrangler devant le chiffre de mes ventes.

Le téléphone collé à l'oreille, elle prit quelques notes dans son monstrueux agenda – gonflé comme une panse de bique. Lui arrivait-il de penser à Alice de temps en temps ? Je ne voulais donner mauvaise conscience à personne, mais n'étais-je pas en droit de me poser la question ? Elle rayonnait. Tout simplement. Je devais serrer les dents pour ne pas lui glisser une remarque un peu blessante sur le sujet. Ou bien était-ce moi qui devenais fou ?

*

A.M. se redressa d'un bond lorsqu'elle me vit arriver. « C'est terrible. J'étais en train de m'assoupir, fit-elle.

— Comment va-t-il ? »

Cette fois, la salle d'attente était vide. Cette partie de l'hôpital semblait déserte – en dehors des deux filles préposées à l'accueil et d'un homme à peau brune qui balayait le couloir à son rythme.

Jérémie s'était réveillé puis rendormi au bout de quelques minutes en fin d'après-midi mais tout allait bien, compte tenu des circonstances. Il avait demandé à sa mère, d'une voix faible, de lui rapporter son lecteur lors de sa prochaine visite. J'estimais moi aussi que c'était bon signe. Cela dit, je n'avais pas très envie de le voir.

« N'allons pas le déranger », fis-je.

Elle secoua la tête. Il suffisait d'avancer courbé en deux, en rasant les murs du couloir jusqu'à la chambre. « Suivez-moi », dit-elle. Les mères ne changeaient pas.

Mais je restai au pied du lit, en retrait, regardant le visage d'A.M. se décomposer, se racornir comme un vieux bout de suif au-dessus du masque blême de son fils endormi. La chambre dégageait une forte odeur médicamenteuse. Je me tenais droit, silencieux, le front légèrement incliné. Me demandant de quoi elle voulait m'entretenir.

Si elle ne savait pas pour quelle raison son fils était allé se frotter aux homos du coin, je ne voyais pas bien ce que je pouvais faire pour elle. Qu'attendait-elle au juste de moi? Que je m'immisce dans leurs affaires? Que je me mêle de ça? Du coin de l'œil, j'observais le croissant de lune qui dansait au loin, au-dessus des pins noirs et luisants de Chiberta. Songeant que cette malheureuse et moi avions un temps usé, de concert, nos culottes sur les bancs du lycée. Songeant à ces années-là. Et cette silhouette ratatinée, à présent. Ils n'étaient pas très beaux à voir, tous les deux. Ils semblaient tout droit sortis d'une crypte.

« Francis, je crois que votre fille se cache », me déclara-t-elle sans ambages tandis que nous nous redressions dans la salle d'attente, ni vus ni connus. Comme je restais sans réaction, elle reprit : « Je crois qu'Alice est vivante et qu'elle se cache. Malheureusement, je ne sais pas où. »

*

A.M. n'avait pas eu le temps d'aller plus avant dans son enquête en raison des événements qui s'étaient déroulés ici et l'avaient rappelée d'urgence. Du moins avait-elle pu reprendre ses recherches à la lumière de cette demande de rançon que ni Roger ni la police n'avaient divulguée, et elle était parvenue à la conclusion que toute cette histoire avait exactement l'air d'une poutre vermoulue.

« Je vous épargne les à-peu-près, les questions sans réponses, les incohérences que j'ai trouvés sur ma route, a-t-elle lâché avec un haussement d'épaules.

97

Tout ça sonne faux, Francis. Je crois que personne ne l'a enlevée. Vous voulez voir mes notes ? » Je ne voulais pas voir ses notes. Je voulais l'écouter. Je voulais continuer à fixer cette bouche qui produisait de tels prodiges. De tels remous, de tels tourbillons, de tels courants. J'opinai. Je la laissai finir. Puis je me levai sans un mot et allai faire un tour sur la grève. Tout à fait déserte, à cette heure, bien qu'il fît encore très doux et que le vent fût tombé.

*

Je devais y aller impérativement. J'étais d'une humeur massacrante. J'étais persuadé que Judith allait mettre à profit la liberté que lui fournirait mon absence. Plus rien n'allait l'arrêter. Jérémie ne serait pas d'attaque avant plusieurs jours et A.M. avait catégoriquement refusé de la filer – ce qui avait donné lieu à un échange un peu vif entre nous, mais elle n'avait pas fléchi.

Le ciel était blanc, voilé. Je ne savais pas quoi prendre. Plus exactement, j'étais incapable de me concentrer sur le choix d'une garde-robe adaptée au climat de l'Île-de-France, nettement moins agréable, nettement plus chagrin. Comme je restais le bras tendu devant une poignée de cravates, Judith pénétra dans ma chambre et les examina afin d'en choisir quelques-unes. Je la dévisageai pour déceler un éclat joyeux dans son regard, je voulais voir si mon départ n'illuminait pas son air d'une manière ou d'une autre, mais elle cachait bien son jeu.

« Encore une fois, j'espère que tu sais ce que tu fais », déclara-t-elle à mi-voix.

Je répondis par une grimace impatiente. Nous en avions discuté la veille au soir, longuement, jusqu'à ce qu'elle se mît à bâiller. Nous en avions débattu. Ainsi, à la lumière de leur brillante action passée, je ne pouvais bien évidemment plus accorder la moindre confiance ni à Roger ni à la police. La question ne se posait pas. Je pensais qu'il était inutile d'y revenir et, cependant, une partie de moi freinait des quatre fers, une partie de moi refusait de s'éloigner de cette maison, les choses étant ce qu'elles étaient.

Regardant sa montre, elle décida de m'accompagner à l'aéroport. Je bouclai ma valise.

« Je suppose que rien ne peut te faire changer d'avis... », me déclara-t-elle tandis que nous attendions l'avion dans le jour finissant.

*

Je pris une chambre au Hyatt – les salles de bains étaient superbes, reposantes, d'autant que je comptais faire passer la note dans mes frais généraux. Je fis monter un club sandwich et de l'eau gazeuse.

Leur appartement se trouvait tout près. Pour tuer le temps – A. M m'avait déconseillé d'agir avant minuit – je regardai, depuis mon bain chaud, dans la pénombre, une chaîne qui ne diffusait que des défilés de mode. Parfois, la caméra se promenait au milieu d'une soirée où l'on croisait quelques têtes connues, où planait une sourde hystérie, avec de la mauvaise musique et certaines choses qui ne se révélaient pas toujours de la meilleure qualité, mais qui circulaient en quantité suffisante.

Ceux qui ne plongeaient pas avaient du mérite. Et ceux qui s'en sortaient, encore davantage. Alice et Roger, de ce point de vue, avaient accompli un miracle. Le sens des responsabilités leur était tombé dessus d'un seul coup. Travailler dans une banque – se fût-il agi d'une affaire de famille –, de même qu'exercer le métier d'actrice, exigeait le respect d'un certain nombre de règles – réussir à se lever le matin, par exemple, ne pas tomber dans les pommes au milieu d'une prise, mériter son chèque, etc.

Mais si je m'en étais inquiété durant quelque temps, à leurs débuts, c'était sans doute pour avoir oublié qu'Alice avait les pieds sur terre. Je ne connaissais personne d'aussi foncièrement pragmatique. J'avais beau chercher.

Elle me manquait. J'espérais trouver rapidement quelque chose. J'espérais que quelque chose, enfin, s'était mis en route. Que rien ne pourrait arrêter. Que mes pas allaient me conduire à ma fille, tout droit à elle, sans plus de halte. Je l'espérais de tout mon cœur car, dans le cas contraire, je pouvais m'attendre à passer un hiver particulièrement rude. Si je ne trouvais rien, si je rentrais bredouille, si je ne mettais pas la main sur un indice, si je fouillais cet appartement en vain, alors je pouvais m'attendre à sombrer pour de bon.

Pourquoi se cachait-elle, pour commencer? Sans doute valait-il mieux qu'elle se cachât plutôt qu'elle fût morte, qu'elle se cachât mille fois, mais ça ne répondait pas à la question. Je savais que son mariage battait de l'aile – tel père telle fille – et qu'on lui attribuait quelques aventures lors de tournages. Était-ce dans cette direction qu'il fallait chercher? Avait-elle peur de quelque chose? De quelqu'un? Était-elle enfermée dans une cave? Dans un grenier? Se cachait-elle au creux d'une forêt? Dans cette ville? Dans ce pays?

La liste des questions que je parvenais à me poser sur ce sujet semblait sans fin.

*

Un matin, mon téléphone sonna, par une belle matinée d'hiver, cristalline. Le Léman étincelait comme un champ électrique. Johanna et Olga étaient en ville. Alice avait environ quatorze ans et c'était son école qui appelait. Ce n'est jamais bon quand l'école appelle.

Je pensais qu'elle s'était cassé une jambe ou tordu le cou car elle était partie en classe de neige, mais ce n'était pas du tout le cas. L'école appelait pour que je vienne la récupérer sur-le-champ. « Votre petite peste!

101

me dit la directrice en me voyant. Reprenez-la immédiatement. » Une femme d'un mètre quatre-vingt-dix, cheveux gris, coiffée à la Jeanne d'Arc.

La classe était arrivée à l'hôtel en fin de soirée et la géante rapatriait Alice dès le lendemain matin. Un séjour diablement court.

« Ma femme et moi l'avons habillée de pied en cap, fis-je. Pour l'occasion. Collants, combinaisons, aprèsskis, etc. Spécialement pour ces vacances.

— Cher monsieur, je le sais.

— Écoutez, je n'en suis pas sûr.

— Monsieur, je dirige une école. Pas une pension pour bêtes sauvages.

— Je paierai, pour les réparations.

— Vous allez les payer, faites-moi confiance. Et nous la renvoyons de l'école pendant un mois. Et si cela se reproduit, ce sera le renvoi définitif. »

Derrière la fenêtre de son bureau, des arbres couverts de neige pointaient vers le ciel bleu tandis que d'autres descendaient vers le lac en processions lumineuses.

« J'aimerais savoir, fis-je, j'aimerais savoir comment ma fille a pu acheter deux bouteilles de vodka. J'aimerais que vous m'éclairiez sur ce point. Je pense qu'il faut avertir les autres parents car si Alice a pu le faire…

— Oh ça, je sais qu'elle est très maligne. Et qu'elle est prête à tout pour obtenir ce qu'elle veut.

— Ne commencez pas à tourner autour du pot. S'il

vous plaît. N'essayez pas de vous défausser. D'accord ? Maintenant répondez-moi. N'êtes-vous pas censée protéger nos enfants ? N'êtes-vous pas censée dresser un mur entre eux et les débits de boissons ? Ne diriez-vous pas que c'est le minimum que nous, parents, puissions attendre de vous ? Aujourd'hui c'est de la vodka, mais demain ce sera de la drogue. C'est vous qui devriez être punie. D'ailleurs, c'est bien simple, je vais en parler à mon avocat. Trêve d'amabilités entre nous. Je vais lui demander de s'occuper de notre affaire en priorité. D'être incisif. »

Elle devint toute pâle, ses mâchoires se durcirent, ses narines se pincèrent mais elle se contenta de frissonner au milieu de la pièce, de frémir en se tenant les coudes. Je regardai ailleurs, songeant à Alice, à son retour précipité.

Les spaghettis constituaient sa nourriture principale et préférée. Je l'imaginais très bien préparant une recette à base de sauce tomate en compagnie de quelques copines dans leur chambre. Fumant des cigarettes. Se racontant leurs aventures. S'excitant. Parlant fort.

« Avez-vous déjà pris une cuite dans votre vie, chère madame ? demandai-je tandis que j'apercevais Alice traversant la cour, traînant sa lourde valise.

— Monsieur, là n'est pas la question. »

Je tournai les talons.

*

Je ne comprenais pas grand-chose à Olga mon aînée, plus vieille de quatre ans et farouchement proche de sa mère depuis la plus tendre enfance. Je m'entendais bien mieux, en revanche, avec Alice. « Épargnons les détails à ta mère, lui dis-je. Vois-tu, je pense qu'ils vont devoir tout repeindre. Plafond compris. Je vais devoir écrire une nouvelle rien que pour ça. En tout cas, je ne m'en tirerai pas avec un poème, tu peux en être sûre. »

*

À minuit, je sortis du bain et m'habillai. Plus de deux mois après sa disparition on parlait encore d'elle, de cette jeune actrice dont on demeurait sans nouvelles depuis soixante-dix-huit jours. Sa photo s'était affichée sur l'écran avant que j'aie eu le temps de faire un geste en direction de la télécommande. Perplexe, le présentateur évoqua plusieurs meurtres et séquestrations de jeunes femmes survenus depuis quelque temps.

Ma fille avait épousé un jeune banquier. Elle habitait un vaste duplex, au dernier étage d'un immeuble dont je connaissais le code. Je passais la nuit chez eux de temps en temps, lorsque j'étais en ville. J'avais une clé. Je ne dis pas qu'ils avaient mis une clé à ma disposition. N'exagérons pas. Il s'agissait d'une clé de la porte de service. Que je n'étais pas censé emporter avec moi, mais garder à leur disposition, dans un tiroir de mon bureau, au cas où il arriverait quelque chose, n'importe quoi.

Je n'abusais pas de leur hospitalité, en règle générale. Non qu'ils me fissent me sentir importun – il y avait un studio attenant qui procurait une certaine indépendance –, mais il était fréquent que je finisse la soirée en compagnie de la baby-sitter et des enfants. Non que je voulusse à toute force que l'on s'occupât de moi. Non que je ne comprisse qu'un jeune couple avait mieux à faire que de passer la soirée avec moi. Néanmoins, j'avais quelquefois envie de demander à la baby-sitter si ma coiffure avait quelque chose de bizarre ou si j'étais bizarrement accoutré ou si mes propos devenaient incohérents – mais la pauvre fille faisait déjà une grimace inquiète à l'idée d'être enfermée avec un homme dont les cheveux blanchissaient dangereusement.

J'emportai une lampe-torche, un appareil photo et un disque dur. Rien d'autre. Je traversai la rue. Je contournai le square. À l'angle, un homme construisait une cabane de carton sous un abri de la RATP – son caddie était garé à l'entrée. Je croisai son regard puis pénétrai dans l'immeuble. Le hall était désert. Je me dirigeai vers l'escalier de service après un coup d'œil alentour. Montai.

J'entrai dans l'appartement par une sorte de cagibi où l'on rangeait les balais et les chariots à provisions

– ainsi que la boîte à cirages. J'allumai ma lampe et fouillai l'obscurité du couloir.

Je n'avais aucune envie de me faire prendre en train de fouiller l'appartement de ma fille. Cette crainte ridicule – car la situation exigeait qu'on transigeât avec les principes – guida mes pas vers les rideaux que je tirai.

Je me branchai sur l'ordinateur de la maison et commençai à tout copier. Cela réveillait de très mauvais souvenirs en moi, mais A.M. était persuadée que la clé de cette histoire se trouvait dans cet appartement. Je devais faire confiance à son instinct, m'avait-elle seriné durant deux jours. Elle pratiquait ce métier depuis une trentaine d'années. Trente années durant lesquelles son instinct s'était aiguisé – au point de constituer une double vue qui lui permettait d'affirmer, dans l'affaire qui nous occupait, que la clé de l'énigme se trouvait à l'intérieur de ce duplex que je devais passer au peigne fin. Je la sondais du regard, chaque fois, mais elle finissait par l'emporter, par me persuader qu'elle avait acquis ce don, ce flair que ne possède que la crème des détectives.

Je montai à l'étage et visitai les chambres que je mitraillai avec méthode – A.M. estimait que certains détails d'importance pouvaient m'échapper. L'inspection de la penderie d'Alice, quoi qu'il en soit, se révéla pesante, étouffante, son odeur y était forte et de nombreuses tenues me renvoyaient à des épisodes bien précis, à des endroits où nous avions séjourné, tandis que je touchais les étoffes – je remarquai, incidemment, qu'elle avait gardé quelques affaires ayant appartenu à sa mère et à sa sœur, mais je ne l'avais jamais vue en porter une seule, du moins en ma présence.

Il régnait un silence total – aucune rumeur ne provenait de la rue, en raison du double vitrage. Je me sentais très nerveux. Autrefois, il en aurait fallu davantage pour m'émouvoir mais le drame qui s'était déroulé sous mes yeux – et s'était à tout jamais gravé dans ma mémoire – m'avait secoué, m'avait rendu plus fragile. Certaines photos particulièrement touchantes de la vie d'avant – qu'elle gardait dans un tiroir de sa table de nuit – tremblaient entre mes mains.

Je remarquai que leur lit était mou, car j'avais dû m'asseoir. Je frissonnais littéralement à l'idée que le sort, après m'avoir enlevé la moitié de ma famille, ne m'en prive à présent de la totalité. N'existait-il pas une limite à la douleur humaine? Il s'agissait d'un king-size. Je caressai l'emplacement des épaules de ma fille. Sa nuque, si souvent tendue. Ce métier d'actrice était une véritable abomination. Je l'avais toujours dit. Mais les filles devenaient folles avant de s'en apercevoir – et j'avais peur qu'Alice ne fût pas de celles destinées à s'en sortir. Un peu trop impliquée, selon moi. Mais quelle importance, à présent? Je n'aurais pas fait le difficile si on me l'avait rendue vivante. J'aurais baisé les pieds du Seigneur, sans la moindre hésitation.

Je songeai une seconde à m'allonger. Mais je me relevai et descendis.

107

Je soulevai des coussins, ouvris des tiroirs, examinai la bibliothèque, fouillai dans la corbeille à papier, regardai si rien n'était camouflé sous le bureau ou dans un coin sombre, passai la main au-dessus des armoires, soulevai les tapis, mitraillai chaque mètre carré avec la précision d'un horloger, etc.

Je ne trouvai rien. Rien ne brillait pour moi dans l'obscurité. J'espérais en revanche réunir suffisamment de matériel pour le soumettre à A.M. et lui permettre de repérer ce que je n'avais pas vu, ce qui m'avait crevé les yeux – je le souhaitais vraiment. J'agissais de façon méthodique. Je profitai d'une visite au frigo pour me servir un grand verre de jus d'orange avec pulpe – tandis que l'on avançait dans la nuit profonde, à l'heure où pratiquement tout le monde dormait.

Jusqu'au moment où j'entendis un grincement. Je me figeai. Éteignis ma torche. Mon cerveau se mit à fonctionner très vite.

La porte du studio s'ouvrit sur une silhouette, une ombre chinoise – l'obscurité m'empêchait d'en distinguer davantage – qui se mit à descendre la volée de marches qui menait au salon. Je m'accroupis derrière un fauteuil. Je regrettai de ne pas avoir emporté une arme avec moi, ne serait-ce qu'un couteau. Tomber sur un cinglé n'était pas rare aujourd'hui, pour ne pas dire fréquent – on avait longtemps dit de moi que j'étais un auteur pessimiste, mais je ne faisais rien de plus que lire les journaux, regarder autour de moi, écouter la radio, les occasions étaient nombreuses de croiser un jour le chemin d'un tueur en série, tellement le genre grouillait, j'exagère à peine.

L'ombre passa devant moi. Je me redressai aussitôt, la respiration coupée. « Alice ? » bredouillai-je.

*

Six mois plus tard, je ne lui avais toujours pas adressé la parole. Il y avait de fortes chances, d'ailleurs, pour que je n'échange plus jamais un traître mot avec elle. Je tendis néanmoins le combiné à Judith – qui n'avait pas rompu toute relation avec ma fille et Roger, contrairement à mes souhaits – et sortis sans plus attendre.

Les premiers jours de printemps étaient ensoleillés. Les hortensias fleurissaient. Jérémie travaillant désormais à l'entretien du golf, je ne l'avais plus sous la main pour filer ma femme et la prendre sur le fait. Je nageais donc en plein brouillard de ce côté.

J'étais désabusé. Les sentiments que j'avais éprouvés pour l'une comme pour l'autre avaient gelé – et cette sensation de vide était si violente qu'elle m'étourdissait. J'avais passé l'hiver à faire des lectures dans les pays de l'Union pour reprendre mon souffle, mais j'avais usé beaucoup d'énergie pour pas grand-chose – à Stockholm, le président du Pen Club m'avait entraîné dans une tournée des bars dont je ne m'étais relevé que le lendemain soir…, à Copenhague, mon éditeur levait son verre en me regardant droit dans les yeux, avec un claquement de talons…, à Vienne je connaissais des gens dans le théâtre, et Dieu sait où l'on m'entraînait après mes lectures, profitant de l'état de tension, de faiblesse, et d'euphorie glacée où elles me plongeaient. Lire donnait soif. Bien lire donnait très soif. Je voyais très nettement la lumineuse trajectoire de l'écrivain alcoolique s'ouvrir devant moi, je voyais comme tout pouvait devenir simple, à portée de main – du moins au départ. J'étais rentré à temps, trop tard sans doute pour empêcher Judith de prendre de lourdes décisions à mon endroit, mais à temps pour ne pas attraper une maladie du foie, peut-être la jaunisse, au cours de ma tournée.

« Les filles t'embrassent », me lança-t-elle. Je me raidis, imperceptiblement. « Moi aussi, répondis-je. Dis-leur que je les embrasse *toutes les deux*. »

Mâchoires serrées, je fixai l'horizon. Je n'avais pas l'intention de reprocher à Judith d'avoir gardé des contacts avec Alice et son banquier, quelle que fût ma disposition à leur égard. Il fallait penser aux fillettes – flanquées de ces deux fous furieux. Les jumelles constituaient l'unique mais impérieuse raison de ne pas mettre fin à nos rapports avec les deux malades qui les élevaient – et Judith s'acquittait parfaitement bien du rôle qui consistait à faire comme si de rien n'était, comme si l'on devait tendre systématiquement l'autre joue, or personnellement je n'en étais pas capable, je n'avais pas le recul nécessaire, et c'était un dur constat que ce constat. À soixante et un ans, il s'avérait douloureux de reconnaître que l'on était incapable de prendre suffisamment de hauteur, de faire preuve de détachement, de distance. Malheureusement, je n'y pouvais rien.

Pour l'heure, je rentrais d'une tournée en ex-Allemagne de l'Est, particulièrement tranquille et bien organisée – j'avais sillonné le pays en train, d'une ville à l'autre, et j'avais passé le plus clair de mon temps à dormir dans des fauteuils de première classe, je fermais les yeux et les rouvrais cinq cents kilomètres plus loin. J'enlevais mes chaussures. Le train est un excellent remède. Dans certains cas, le train s'avère une vraie bénédiction. Empiler les kilomètres, rester en mouvement.

Je continuais de ranger mon sac et remettais mes ustensiles et mes produits à leur place tandis qu'elle discutait de son prochain départ. À qui voulait-elle faire croire qu'il s'agissait d'une coïncidence? Mais, bref. Quoi qu'il en soit – et l'on tenait là la preuve, l'illustration parfaite que le crime payait – Alice partait pour deux semaines en Australie, sur un tournage, et rien ne pouvait autant la rassurer que de confier Lucie-Anne et Anne-Lucie à leur grand-mère.

Ma fille n'avait aucune vergogne. J'avais ricané lorsque Judith m'avait annoncé la chose. Puis j'avais répondu que je n'y voyais aucun inconvénient dans la mesure où je n'étais pas impliqué – dans la mesure où rien de tout cela ne me concernait.

Alice devait savoir qu'elle ne pourrait plus rien me demander, désormais. J'avais jeté dans une malle, en vrac, les affaires qu'elle laissait ici et les lui avais expédiées quand j'avais retrouvé mes esprits. Je ne voulais plus voir quoi que ce soit qui lui appartenait dans cette maison. J'avais demandé à Judith de ne pas discuter cette décision. Je l'en avais *instamment* priée. Je ne plaisantais pas. Elle avait secoué la tête. Elle avait soupiré. Elle savait très bien le coup que j'avais reçu. Elle se chargea – sans que j'en fisse la moindre requête – de mettre hors de ma vue les DVD, les magazines, les photos. Au moins, j'étais soulagé d'avoir épousé une femme qui n'avait pas le gène de l'affrontement dans le sang – Alice y suffisait amplement.

Je regrettais qu'elle s'en allât si tôt. J'avais espéré qu'à mon retour nous passerions quelques jours ensemble malgré le désolant chemin que notre union prenait – avait pris. J'étais trop optimiste. Elle avait annoncé à Roger qu'elle arrivait dès le lendemain. Non pas que j'eusse de proposition précise à lui faire pour contenir notre dégringolade – j'estimais que l'épreuve que nous traversions était insurmontable et j'en étais le premier meurtri – mais je voulais préserver ce qui pouvait encore l'être, j'y tenais absolument. J'entends, à condition que ce fût encore possible.

« Est-ce qu'ils se demandent si nous avons une vie ? grinçai-je. Est-ce que ça les effleure, ces deux moins-que-rien ? » Je m'avançai sur le seuil de la porte qui séparait nos chambres. La sienne, mieux orientée, voyait le soleil pourfendre ses rideaux et moucheter ses murs. J'aurais aimé pouvoir lui dire à quel point j'étais désolé, mais seul un filet d'air sortait de ma bouche, confronté à tant d'absurdité. Avec le temps, j'avais fini par comprendre que nos actes étaient irréversibles. On ne rembobinait pas.

Je l'accompagnai au marché. « Est-ce que tu as quelque chose à me dire ? » lui demandai-je tandis qu'elle examinait une salade. Elle prit un air étonné. Je l'aidai : « Est-ce que tu as rencontré quelqu'un ? »

Je m'entendais parler, mais ce n'était pas moi. Elle secoua la tête en riant : « Mais enfin, de quoi parles-tu ? Enfin, mais qu'est-ce qui te prend ? »

Je demandai au gars le prix de sa laitue et le payai.

« Oublie ce que je viens de te dire, fis-je en remontant l'allée centrale. Je n'ai pas encore les idées très claires. Je dis n'importe quoi. »

Elle s'arrêta et me fixa d'un œil soupçonneux.

Je n'étais pas assez naïf pour penser qu'il suffisait de lui poser la question. Je ne m'attendais pas à voir la vérité jaillir comme une source au milieu d'un champ de roses. Pas plus que je ne donnais la moindre valeur au silence dédaigneux qu'elle opposait à mes désolantes suppositions.

« Pardonne-moi, lui dis-je. Mais c'est à cause d'eux. Je vois le mal partout, depuis. »

Elle regarda autour d'elle avant de reporter son attention sur moi. « Comment peux-tu en être encore là ? soupira-t-elle. Encore aujourd'hui. Après six mois...

— Le temps n'a rien à voir là-dedans.

— Bien sûr que si. Francis, bien sûr que si. Ou alors, tu n'es pas normal. »

Je serrai les dents. « Elle savait que je ne pourrais pas le supporter. »

Elle me regarda encore un instant puis elle abandonna et entreprit de choisir un melon. Je regrettais de ne pas être resté un jour de plus à Leipzig pour me saouler à mort et trouver la maison vide en rentrant.

*

Jérémie passa de l'autre côté de la route, sur sa tondeuse à gazon autoportée, et nous échangeâmes un signe. De nombreuses mouettes dérivaient dans le ciel. Il gara son engin derrière la haie et je lui offris un café après qu'il eut chargé son véhicule d'un paquet de revues que j'avais conservées à son intention. « Tu viens de perdre ton job, lui déclarai-je. Elle est partie pour une quinzaine de jours. » Il accueillit la nouvelle avec un sourire satisfait.

« Vous perdez votre temps avec ça, déclara-t-il. Je vous l'ai déjà dit. Je n'ai jamais rien trouvé. Vous faites fausse route.

— Ce n'est pas grave. Je ne t'en veux pas. C'est une femme terriblement maligne. »

Baissant les yeux, je tombai sur ses poings écorchés.

« Je vais te dire comment ça va finir, fis-je. Je vais te

114

le dire. Quand ils en auront assez de t'avoir sur le dos – et je suis sûr que ce jour approche –, ils vont t'attraper. Fais-leur confiance. Voilà comment ça va finir. Avec tous les gays des environs à tes trousses. Exactement. Jérémie, j'en croise tous les matins à la gym et je n'aimerais pas que ces types me coincent dans les vestiaires avec des bras pareils. »

Il s'en moquait totalement. Il n'avait pas peur de se faire dérouiller, disait-il.

Je haussai les épaules. « Ta mère est fatiguée, en ce moment. Pourquoi ne pas la ménager un peu ?

— Elle n'est pas fatiguée. Elle s'est fait plaquer.

— Elle n'a pas besoin d'émotions supplémentaires, j'imagine. Sois un peu charitable. Elle se fait du souci pour toi. »

Nos enfants nous donnaient du fil à retordre. Il fallait bien l'admettre. Il ne s'agissait pas d'une coïncidence. Les familles épargnées étaient rares. Il ne fallait pas s'étonner qu'A.M. ait chancelé après qu'il se fut ouvert les veines. Peu de mères l'auraient supporté. Peu de mères fraîchement plaquées l'auraient supporté.

Elle n'était pas si vieille. Mais en quelques mois, son visage s'était décomposé, son teint était devenu gris. Chaque filature devenait plus pénible, me confiait-elle. Rester debout durant des heures la tuait. Ses chevilles enflaient. Je lui avais conseillé de faire une cure de vitamine C à haute dose et de magnésium. Sans guère de résultats, apparemment.

Il lui cuisait des steaks qu'elle ne mangeait plus que du bout des lèvres. Sinon, il ne faisait pas grand cas d'elle. Les déboires sentimentaux de sa mère lui donnaient la nausée, prétendait-il. Si une chose lui faisait totalement honte, l'enrageait littéralement, c'était bien sa mère et ses goûts tordus. « Et j'irais la plaindre ? J'irais la consoler ? Ça me dégoûte, ce qu'elle fait. »

Qu'il vécût mal l'homosexualité de sa mère, l'affaire semblait entendue, il n'était pas nécessaire d'y revenir, je l'avais compris.

*

Trois jours plus tard les médecins annoncèrent à A.M. qu'elle était atteinte d'un cancer. D'un genre terrible. Les radios étaient épouvantables. « Il ne manquait plus que ça », soupira-t-elle.

Elle me fit jurer de garder le silence. Elle ne voulait pas que Jérémie soit au courant. Puis son regard se perdit dans le vide et elle hocha la tête pendant un long moment.

*

La mère de Johanna était morte d'un de ces cancers fulgurants qui vous transformaient en fétu de paille, puis vous désintégraient.

Olga et Alice, alors respectivement âgées de douze et huit ans, n'étaient pas très chaudes pour aller embrasser ce qui avait été leur grand-mère, dans ce cercueil, et qui ce jour-là faisait carrément peur. L'ambiance était très tendue.

L'ambiance était très tendue du côté de ma belle-famille qui trouvait, dans le comportement de mes filles, l'édifiante et désolante confirmation que je n'étais pas le genre d'homme qu'ils avaient espéré pour Johanna. La lecture de certains de mes romans n'avait rien arrangé. Et donc, nous étions en train de frôler l'incident familial dans le fond de la pièce – j'entendais des voix s'offusquer de mon manque d'autorité, dénoncer mon échec, patent, en termes d'éducation.

Voyant la tête de Johanna, je finis par me pencher sur les fillettes. « Désolé, mais votre mère ne sait plus où se mettre. Je viens avec vous, si vous voulez. Courage. »

De sombres paires d'yeux étaient fixés sur nous – des trous du cul, pour la plupart. Mais Johanna ne voulait pas entrer en conflit avec eux, ni subir leur opprobre, et je n'avais pas à donner mon avis là-dessus, j'adoptais sans états d'âme la conduite qu'elle me recommandait de tenir avec eux depuis le début et qui consistait à faire le dos rond, à ne pas les contrarier. J'avais compris l'importance que ces choses revêtaient pour Johanna. Je savais aussi ce que représentait l'épreuve qu'on imposait aux deux fillettes, je savais de quelle taille était l'effort qu'on leur demandait. L'air semblait vibrer autour de nous. Olga baissa la tête.

Alice, quant à elle, partit soudain en avant, d'un pas décidé.

Nous nous plantâmes devant le cercueil. Je leur glissai un coup d'œil, à chacune, tenant leurs mains dans les miennes. « Je suis fier de vous, murmurai-je. Bravo. Il ne nous reste qu'un dernier effort à fournir. Ça va aller, les filles. Courage. »

Alice était la plus petite. Je la portai. Le visage de leur pauvre grand-mère ressemblait à un citron avarié – elle avait chuté dans l'escalier alors qu'elle était en phase terminale et s'était réduit la mâchoire en bouillie. Moi-même, je grimaçai.

Olga semblait pétrifiée. Alice, elle, se pencha sans hésiter et posa ses lèvres sur la vieille joue poudrée. Alice était déjà Alice.

« Je l'ai fait aussi pour toi, me confia-t-elle un peu plus tard.

— Tu m'as épaté. Ta sœur et moi, je te prie de me croire, nous nous sommes regardés en silence. Bouche bée. Tu nous as stupéfiés. Je te le dis. Si tu n'y étais pas allée, je ne sais pas si j'y serais allé. Bbrrr…, j'en ai encore la chair de poule, pas toi ? »

Le suivant, un vague cousin, pleura comme un veau sur la défunte.

Johanna nous rejoignit dehors et me remercia en serrant ses enfants contre elle. Ils étaient comme ça dans le Sud, s'excusa-t-elle, ils étaient sensibles aux rites et très sourcilleux quant à leur observation. J'opinai, sans faire de commentaire. J'avais déjà dû céder sur la question du baptême sous peine d'être traité comme un pestiféré et tenu à l'écart, chose que Johanna n'aurait pu accepter.

Ces gens se moquaient bien que je fusse écrivain, qu'on m'entendît parler à la télé ou à la radio, la littérature ne les impressionnait pas et mes revenus, qui étaient encore assez maigres à cette époque, les faisaient sourire – quand d'autres auraient jeté leur costume dans la boue pour que je puisse traverser la rue sans salir mes chaussures. Mais ils étaient plus rares.

Je pouvais être écrivain, ou scénariste, ou pompier, ou jongleur, peu importe, tant que je ne sortais pas du chemin qu'ils avaient tracé, tant que j'embrassais leurs morts en me signant et transmettais les codes à mes enfants.

Je portai Alice sur mes épaules – elle l'avait bien mérité. Encore en admiration devant la manière dont elle avait retourné la situation à notre avantage – nous ramassions à présent, sur le chemin du cimetière, notre lot de sourires satisfaits – je lui embrassai le creux de la main. L'automne était doux, les arbres flamboyaient depuis des jours, exceptionnellement vifs et lumineux, dans des rouges renversants, des jaunes aveuglants.

*

Avais-je rêvé tout cela ? N'avais-je pas tissé avec elle, forgé au feu de nos épreuves, la plus profonde des relations qui se puisse être ? Avais-je rêvé ?

Je commençais à le penser. Quoi qu'il en soit, je savais à présent que si elle avait à choisir entre moi et sa carrière, elle ne se posait pas la question très long-temps. Je devais en tirer les conclusions qui s'impo-saient.

Je n'avais jamais pensé tomber un jour de si haut. J'avais commis l'erreur de croire que certains terrains restaient fermes et solides, contre vents et marées. J'avais fait preuve d'une très grande naïveté à cet égard, d'un aveuglement sidéral. À chaque instant, le sol pouvait se dérober sous vos pieds tandis que j'avais conçu de mon côté je ne savais quelle chimère de terre ferme, quel Eldorado – nauséeux – censé me garder quelques couleurs. En sorte que tout s'était trouvé en place pour accueillir l'atterrissage brutal que j'avais effectué six mois plus tôt, à l'instant même où elle s'était retournée vers moi dans son maudit apparte-ment en duplex, par cette nuit blême et sidérante – en sorte que rien n'avait manqué.

Une carte postale arriva d'Australie. Je ne m'en sou-ciai pas une seconde et la laissai dans la boîte, dans les courants d'air, à l'entrée du jardin. Il suffisait d'un orage un peu fort et le courrier était fichu. L'encre des meilleurs stylos n'y résistait guère, et encore moins le feutre qui ne tenait pas trois secondes sur un support détrempé.

Judith m'appela en fin d'après-midi, comme chaque jour, afin de vérifier que je ne me laissais pas mou-rir de faim et ne laissais pas la maison à l'abandon

– notre femme de ménage nous avait lâchés pour suivre son fiancé en Écosse et travailler dans un élevage de saumons. Je ne mettais rien en désordre, je ruminais.

J'avais ce secret à garder, désormais. En plus de mes propres déboires familiaux. Je n'avais pas le droit d'en parler à Jérémie, ni à quiconque. J'essayais d'imaginer ce garçon subitement orphelin et aucun scénario ne se révélait satisfaisant, aucune lueur ne brillait à l'horizon. Et puisqu'il n'était même pas certain qu'A.M. survécût à l'été – cancer galopant –, l'horizon noir s'approchait rapidement.

Cet emploi – que je lui avais trouvé en trois coups de téléphone – n'allait sans doute pas durer jusqu'à la fin des temps. Passer sa vie sur une tondeuse à gazon ne pouvait constituer un idéal de vie, très bien, soit, mais Jérémie donnait-il le moindre signe qu'il pût prétendre à autre chose? Était-il davantage qu'un enfant? Est-ce que braquer une station-service, en plein jour, seul, n'était pas une belle preuve d'immaturité?

Mais avais-je le temps de m'occuper de ce problème? Avais-je *encore* le temps de m'occuper d'un *quelconque* problème?

Je songeais à me remettre à l'écriture d'un roman pour dresser un rempart autour de moi, j'y songeais sérieusement. Je tenais le coup, depuis des années, au moyen de quelques articles, de quelques vagues nouvelles, semblant plus occupé que je ne l'étais réellement, mais aujourd'hui, dans *cette* situation, le retour au roman semblait s'imposer. Son épreuve semblait s'imposer. Écrire un roman requérait tant d'énergie que tout le reste passait au second plan. C'était l'avantage.

J'en avais souvent fait l'expérience. J'avais écrit mes derniers romans en forme de blockhaus, et les circonstances semblaient indiquer qu'il était temps d'avoir recours de nouveau à ces pouvoirs, quitte à y laisser quelques plumes. J'avais écrit des romans en forme d'inextricable forêt autour de moi – à la mort de Johanna, j'avais commencé à noircir les premières pages d'un ouvrage qui en contiendrait mille et l'exercice m'avait tenu la tête hors de l'eau, je le reconnaissais volontiers – ça n'avait pas toujours été facile, certains jours s'étaient révélés plus sinistres que la mort, plus déserts que les rues d'Hiroshima après le 6 août 1945 à partir de 8 h 16 mn 02 s heure locale, plus stériles que la banquise – mais j'avais tenu les chiens et leurs mâchoires à distance – et sinon obtenu un succès mitigé en librairie.

Malheureusement, Jérémie passait tous les jours devant mes fenêtres, chevauchant sa tondeuse – il avait l'air d'un géant à cheval sur un tracteur d'enfant –, en sorte qu'il ne m'était pas très facile de l'effacer de ma mémoire. Je l'entendais arriver de loin, un zézaiement dans l'air qui m'avertissait que le garçon se trouvait dans les parages. Parfois, je me jetais à plat ventre ou me plaquais contre un mur, mais cela ne changeait pas grand-chose.

A.M. déclinait à vue d'œil, mais son regard n'avait jamais été aussi brillant, à ce qu'il me semblait. J'attendais sa requête en retenant mon souffle, anticipant le coup qui allait s'abattre sur moi – mais comment l'éviter?

Jérémie n'était pas un cas facile, non, loin s'en fallait. L'autre jour, elle m'avait encore entretenu des bagarres qu'il déclenchait régulièrement, des affrontements qu'il allait chercher – comme le chien allait chercher son os – dès que le soir tombait et qui ne visaient plus simplement les homosexuels et assimilés, mais n'importe qui se trouvant sur sa route. « Il a raison de simplifier », avais-je déclaré d'un ton égal.

Maintenant qu'A.M. avait passablement maigri, mes souvenirs se ravivaient. Des images revenaient. À présent, je la reconnaissais *presque à coup sûr*. Je la revoyais, au milieu de toutes ces filles avec lesquelles on traînait alors, parmi cette bande dont les visages et les contours étaient devenus flous – j'étais même désormais plus ou moins persuadé que nous avions couché ensemble. Nous n'avions jamais abordé ce point précis A.M. et moi – nous avions tiré une espèce de rideau de plomb là-dessus –, mais je sentais confusément qu'il y avait un vieux lien entre nous. La regarder mourir m'était particulièrement pénible.

« Je vais faire ce que je peux, lui dis-je. Mais ne me demandez pas de faire davantage. Ne me demandez pas de me surpasser. S'il vous plaît. Je commence à être un peu vieux, vous savez.

« — Jamais, Francis. Jamais je n'oserais vous demander une telle chose, vous m'entendez ?

— Pourquoi pas ? Où serait le mal ? Je vous réponds d'autant plus franchement, A.M., que vous connaissez ma situation. Différents sujets me préoccupent en ce moment, vous le savez bien. Vous êtes aux premières loges.

— Vous croyez que je ne le sais pas ? Vous avez déjà tant fait pour lui. »

Je grimaçai. Elle toussa légèrement. Ses poumons étaient en pièces, prétendaient les médecins. On murmurait, chez les infirmières, que l'on n'avait pas vu d'aussi épouvantables radios depuis Tchernobyl. Ses yeux s'étaient remplis de larmes. Compte tenu du peu d'intérêt que Jérémie lui portait – il pensait, m'avait-il confié, que sa mère traînait une mauvaise grippe –, on pouvait affirmer qu'elle n'était pas récompensée en retour.

*

Chaque fois que j'écoutais *Banshee Beat* d'Animal Collective, je prenais conscience que l'homme n'était pas simplement destiné à répandre la souffrance et la laideur sur le monde. Il pleuvait, il tombait des cordes, mais cette musique frôlait le miracle. Il y avait un moment où forcément l'on posait son verre et où l'on commençait à danser – en remerciant Dieu de ne connaître ni guerres ni famines, etc. –, à se déhancher, à laisser poindre un sourire de satisfaction.

Il devenait de plus en plus difficile de préserver de tels moments. Dans l'ensemble, selon moi, la vie était plutôt une affaire douloureuse. Je n'avais pas dansé tous les jours, si j'avais bonne mémoire. Aussi, puisqu'il en était ainsi, me laissai-je un moment porter par la musique – remuant comme une espèce de ver dans une prise électrique – tandis que la pluie ruisselait sur les baies. Il faisait déjà sombre. Comment ferions-nous, me disais-je, s'il n'y avait pas la musique ? J'avais ouvert une bonne bouteille de vin blanc.

Je n'avais pas dansé une seule fois depuis la mort de Johanna. Pas *vraiment* dansé. Je n'avais pas épousé Judith pour danser, mais pour ne pas mourir. Je n'en avais pas demandé plus. À présent, tout me revenait dans la figure. Danser faisait vraiment du bien, quelquefois. Je n'avais pas l'intention de me gêner. J'étais la seule personne vivante dans cette maison. La musique me pénétrait par le dessus du crâne et transperçait mes pieds pour s'enfoncer dans le sol. Il y avait, au-dessus de l'océan, de lourdes plaques de ciel noir. Qui s'entrechoquaient. Qui chevauchaient l'horizon. Et lorsque le morceau était fini, je le ramenais au début.

*

Un soir, nous étions accoudés à un bar, Jérémie et moi, et le voilà qui s'en prend à un type un peu saoul qui se lamentait à propos de sa femme – laquelle demandait le divorce. La bataille fut brève car l'homme se révéla hypernerveux, et de fait administra une sévère correction à Jérémie avant que nous ne parvenions à le maîtriser pour le flanquer dehors.

Je n'en revenais pas de la manière dont Jérémie s'était jeté sur l'autre individu, apparemment sans réfléchir. Du reste, le type l'avait accueilli avec une droite en pleine figure qui avait littéralement figé Jérémie sur place – et l'avait mis en position de recevoir la suite. Un vrai suicide. Il était tombé à genoux avec un vague sourire, tandis que son adversaire lui en collait une autre.

Sans doute n'y avait-il pas là de quoi s'étonner. A.M. me tenait régulièrement au courant de ces dérapages, mais c'était autre chose d'y assister, de voir ça de ses propres yeux.

Je le fis asseoir sur un tabouret de la cuisine et lui apportai différents produits pour soigner ses bosses. Sa figure était rouge. Dans quelques heures, elle allait virer au noir – plus tard viendraient le violet, le vert, puis le jaune.

« Garde tout ça, lui dis-je après qu'il eut fini. Garde-les avec toi. Je pense que tu vas en avoir besoin. »

*

Il m'apporta bien vite la preuve que j'avais eu du flair. Pour finir, le directeur du golf m'appela pour me dire que, malgré son désir de m'être agréable, il ne pouvait garder Jérémie plus longtemps. Pas dans ces conditions. Pas avec ce visage tuméfié, ces poings écorchés, ces grimaces qui gênaient beaucoup les gens.

« Écoutez, mon vieux, ai-je soupiré. D'accord. Vous avez gagné. J'accepte. J'accepte de participer à votre manifestation littéraire. Vous avez ma parole. Je viendrai signer mes livres. Je me tiendrai derrière un stand. Considérez que c'est acquis, mon vieux. » Je l'entendais respirer à l'autre bout du fil. « Sa mère est sur le point de mourir », ajoutai-je – lui laissant entendre qu'une espèce de malédiction s'abattrait sur celui qui obstruerait les dernières fenêtres, sur celui qui apporterait de l'ombre, d'une manière ou d'une autre.

Je gagnai quelques mois. Jérémie, plutôt, les gagna. Encore que rien ne fût définitif – sans doute suffisait-il d'une ou deux plaintes supplémentaires pour que mon interlocuteur revînt sur sa promesse et se débarrassât du garçon séance tenante.

Alice, pendant ce temps, s'imaginait que quelques cartes d'Australie allaient suffire mais je les laissais s'accumuler dans la boîte aux lettres sans même les lire – et c'était pour moi une source d'étonnement supplémentaire que de m'apercevoir qu'elle croyait encore possible, encore envisageable, etc., de reprendre une quelconque relation avec moi.

Judith le pensait, elle aussi. Mais elle avait l'excuse de me connaître infiniment moins bien que ma fille ne me connaissait. Je songeais à Alice penchée sur une terrasse à Sydney, tandis qu'un vol de chauves-souris géantes débouchait entre les tours, au-dessus d'elle, penchée, m'écrivant quelques mots censés m'adoucir. De qui se moquait-elle ?

Judith estimait que j'étais celui des deux qui payait la plus grosse part, ce que je ne contestais guère, mais, pour autant, je ne me sentais pas davantage disposé à y remédier. Je ne discutais pas du prix. Quel qu'il fût, je l'acceptais. Cela n'avait rien à voir avec la sourde obstination qu'évoquait Judith lors des conversations que nous avions au téléphone entre le bord de l'océan et la capitale. Ce n'était pas de l'obstination. Il s'agissait d'un simple constat. Il n'existait aucune possibilité de quoi que ce soit. Cela n'avait rien à voir avec de l'obstination. De l'obstination toute bête.

Elle demeurait perplexe. J'imaginais la moue qu'elle faisait. Le temps à Paris n'était pas fameux, me disait-elle. Ses petites-filles l'épuisaient. Elle m'interrogeait sur l'avancement de mes travaux d'écriture mais à l'évidence se souciait peu d'entendre mes réponses. La diablesse. Je pouvais bien écrire *Guerre et paix* ou *Sur la route*, son esprit vagabondait.

Son manque d'intérêt pour mon travail se révélait particulièrement vexant. Onze ans plus tôt, lorsque nous nous étions rencontrés, elle était l'une de mes plus ferventes admiratrices et elle m'aurait écouté avec la plus grande attention si j'avais évoqué les progrès du roman que j'avais en cours. Elle m'aurait écouté avec une ferveur presque gênante.

Perdre un lecteur était une expérience désagréable.

S'il advenait que ce lecteur fût également la femme avec laquelle on vivait, l'addition s'en trouvait d'autant plus salée.

« Ne crois pas ça, déclarai-je à Jérémie sur la route de l'hôpital. Perdre un lecteur est pire que de recevoir cent coups de fouet. Perdre un lecteur est une terrible sanction. »

Il opina mollement. Il n'était pas facile d'expliquer comment l'on pouvait passer trente années devant une feuille blanche et encore moins que le moteur de cette folie était le style – ce gouffre, cette prison, cette tanière d'où l'on parlait de l'absolue nécessité d'une phrase, de sa beauté, de sa vibration secrète, sans ciller. Si je lui lisais quelques pages à voix haute, en manière de démonstration, j'avais le sentiment d'être face à un mur, d'être arrivé aux portes du désert.

A.M. dormait. Il y avait un nouveau traitement qui avait nécessité son hospitalisation pour quelques jours – et au moins ce traitement la faisait-il abondamment dormir. Nous nous sommes tenus au pied de son lit, dans le soir tombant. Elle dormait, alors qu'amener son fils jusqu'ici n'avait pas été un jeu d'enfant – il avait commencé par dire non.

Nous parlions à voix basse. Les couloirs de l'hôpital se vidaient. La chambre d'A.M. se trouvait équipée d'un téléviseur qui diffusait ce soir-là des images de pays qu'il faudrait se résoudre à bombarder si nous voulions garantir notre sécurité. On nous montrait des cartes. Les choses paraissaient simples.

Il y avait de fortes chances pour que ce monde ne soit plus habité que par des assassins et des fous, dans un assez proche avenir. Au train où allaient les choses.

Lorsque l'émission prit fin – sur le visage glacé de sa présentatrice qui hésitait entre fermer les yeux ou se mordre les lèvres –, nous décidâmes de partir. Passablement déprimés. « Cette fille a un problème », dis-je.

*

Je lui donnai cependant quelques indications concernant l'attitude qu'il conviendrait d'adopter s'il ne voulait pas s'attirer les foudres de son employeur – faisant valoir qu'aujourd'hui, posséder un travail n'était pas rien.

« Tu fais peur aux gens. Ce n'est pas compliqué. Ils doivent penser : "Avec une tête pareille, ce type va certainement nous agresser dans un buisson." T'es-tu regardé? Te reste-t-il encore un peu de sens commun? »

S'ils examinaient ses mains, ses phalanges gonflées, ses jointures à vif – ses poignets tailladés –, certains devaient partir en courant.

Le printemps avançait. Alice avait prolongé son séjour australien et Judith, par voie de conséquence, avait prolongé le sien.

Je me réveillais à l'aube, dans la fraîcheur et l'air humide. Puis je me mettais aussitôt au travail. J'enfilais une robe de chambre et m'installais à mon bureau, en retrait de la fenêtre, ou sur le canapé. Écrire un roman accaparait. Le dernier que j'avais écrit datait d'une dizaine d'années et il m'avait semblé qu'il n'y en aurait plus d'autre.

Un excellent roman, en l'occurrence. Je n'avais pas pensé pouvoir faire mieux, jusqu'à ce jour. Je ne le pensais toujours pas, d'ailleurs, mais l'envie était revenue. À ma grande surprise. L'envie d'écrire un roman. Pris à mon propre jeu.

Alors qu'il valait mieux rester sur un succès. Alors que j'avais su tirer mon épingle du jeu et avais vécu sur mes lauriers à coups de contributions et de nouvelles qui ne mettaient guère mon image en danger. Mais la raison n'avait rien à voir là-dedans. Lorsque l'on était mordu par le démon de la littérature, quelle once de raison pouvait encore s'immiscer?

Mon agent m'appelait de New York, mon éditeur m'envoyait des messages fraternels. Mais je sentais qu'ils n'y croyaient qu'à moitié – combien de fois avais-je répété que je n'entendais plus courir sur de longues distances?

Nombreux étaient ceux qui pensaient que la mort de Johanna m'avait cassé et personne n'aurait misé un centime sur mes chances de revenir au premier plan. Possible. Que je fusse cassé, définitivement mort pour le roman, se pouvait fort bien. Cela ne m'aurait pas étonné. Il était encore trop tôt pour le dire.

Rien n'était plus dur que d'écrire un roman. Aucune

besogne humaine ne réclamait autant d'efforts, autant d'abnégation, autant de résistance. Aucun peintre, aucun musicien n'arrivait à la cheville d'un romancier. Tout le monde le sentait bien.

Il m'arrivait de serrer si fort les dents au milieu d'une phrase que la pièce tout entière se mettait à siffler. Hemingway ne racontait pas autre chose. L'herbe ne verdissait pas toute seule. Le paysage ne filait pas derrière la vitre par enchantement.

J'aurais préféré renouer des relations normales avec ma fille ou repartir sur de nouvelles bases avec Judith, mais écrire un roman était encore ce qui semblait le plus réalisable, en l'occurrence. Chaque jour qui passait m'en persuadait davantage. Rien d'autre ne me paraissait à portée. Je ne voyais pas d'autre planche de salut. Je regardais à gauche, je regardais à droite et je ne voyais rien. Je n'avais encore jamais abordé l'écriture d'un livre dans cet état d'esprit.

*

Environ six mois après l'accident, avec l'arrivée des premières neiges, au premier jour de l'an, de bon matin, je décidai de me remettre au travail.

Nous avions changé de maison et j'avais à présent une vue sur le lac – étrange et inquiétant à souhait pour un auteur de fiction.

Le soir venu, je n'avais pas été fichu d'écrire la moindre ligne. Alice disposait d'une chambre assez grande à l'autre bout de l'appartement et elle faisait pas mal de bruit, mais elle n'était pas responsable de l'absolu manque de concentration dont j'avais fait preuve durant douze heures d'affilée. Le lendemain, la même chose se reproduisit.

Et pendant ce temps, à quelques mètres de là, Alice tombait en travers de son lit ou roulait sur la moquette sans que je m'aperçoive de quoi que ce soit.

J'avais du mal, moi aussi, à surmonter la perte de Johanna et d'Olga. Je ne trouvais rien à lui dire lorsque je la découvrais ivre ou défoncée. Bien souvent, nous finissions en larmes, tous les deux – ce qui ne constituait pas le meilleur remède à notre mal.

À cela venait donc s'ajouter cette terrifiante incapacité à me concentrer plus d'une minute sur mon travail, à écrire plus que les quelques lignes qui finissaient régulièrement dans la corbeille à la nuit tombée – au matin, je me réveillais, exsangue, aussi affaibli que si j'avais écrit dix mille mots d'une traite.

Ne plus pouvoir écrire me paniquait. Chaque jour, je me figeais entre deux portes, comme poignardé, ou je ne parvenais plus à me lever d'un siège et me noyais.

Lorsque par hasard Alice et moi prenions un vague repas ensemble, je lui faisais part des difficultés que je rencontrais tandis qu'elle piquait du nez au-dessus de son bol de céréales aux fruits rouges. Elle était sourde et j'étais complètement aveugle.

Il m'arrivait même parfois de la regarder et de ne

pas la reconnaître. Un matin de février, dans la cuisine, comme je l'observais, je remarquai qu'elle avait la chair de poule – bien qu'elle portât plusieurs chandails –, et que sa respiration se transformait en vapeur blanche. Intrigué, je tendis la main vers les radiateurs, de gros radiateurs de fonte, ils étaient glacés.

Le thermomètre indiquait moins deux dans l'appartement. Je ne pouvais pas y croire. Moins deux. La même température qu'au-dehors. Et elle ne disait rien. Elle se laissait mourir de froid.

Le tableau était consternant. Je me tournai vers l'évier. L'eau chaude coulait froide. Je me remémorai tout à coup l'orage qui avait éclaté trois jours plus tôt – posté devant la fenêtre ouverte, j'avais espéré qu'un éclair allait me toucher et me redonner vie. La quittant des yeux, je me levai.

Les plombs de la chaudière avaient sauté. Ce qui signifiait qu'Alice se lavait à l'eau froide depuis plusieurs jours – si jamais elle se lavait. J'en fus épouvanté. Un zombie. Ma fille était devenue un zombie.

Je filai en ville chercher des fusibles. Se nourrissait-elle, au moins? Dormait-elle un peu? Je préférais ne pas y penser. Il aurait fallu, pour bien faire, que je ne l'eusse pas perdue des yeux une seule minute, mais ça n'avait pas été possible. Il y avait eu la perte de Johanna, et maintenant ça : ne pas pouvoir m'y remettre, ne pas pouvoir me remettre à écrire, comme s'il m'avait manqué le bras qui tenait la plume, les jambes pour continuer ma course. Je me rendais compte à quel point j'avais mal tenu mon rôle de père, à quel point je n'avais pas su la protéger – ne claquait-elle pas des dents, au même instant, dans un appartement changé en chambre froide, clairement défoncée, tenant à peine debout?

À mon retour, je m'empressai de remplacer les fusibles et remis la chaudière en marche. Le brûleur, de nouveau, ronfla. J'allai frapper à la porte de sa chambre. Rien. Pas de réponse. La lumière tombait d'un ciel blanc, électrique, l'appartement était clair, mais la chambre d'Alice était aussi ténébreuse qu'une grotte. Je n'avais guère l'occasion d'y pénétrer mais je l'avais entrevue quelquefois au gré de mes allées et venues – à la recherche de l'inspiration ou de Dieu sait quoi – si bien que je ne fus pas surpris lorsque, poussant la porte, je ne vis rien pour commencer, car il y faisait trop sombre.

Les volets étaient tirés. Les murs étaient noircis de pages découpées dans des magazines – acteurs, musiciens, artistes, et tutti quanti. Le plafond aussi.

« Où est la lumière ? demandai-je.

— Qu'est-ce qu'il y a ? lança une voix du fond de la chambre. Qu'est-ce que tu veux ?

— Je viens voir comment tu vas, dis-je. Montre-toi. Tu ne connais pas la meilleure ? Tu n'avais rien remarqué, ces derniers temps ? »

Du canapé où il gisait, son petit ami, Roger, grogna. En fait, je n'avais jamais vu ce garçon dans un état normal. En tout cas rarement sur ses pieds. Banquier était la seule qualité que je lui reconnaissais – sinon qu'il n'était pas brutal avec Alice. Mais je n'arrivais pas à échanger le moindre bout de phrase avec lui. Nous freinions l'un et l'autre lorsque nous nous croisions – entamions une espèce de ballet immobile –, mais sans vraiment nous arrêter.

« Est-ce qu'il va bien ? » demandai-je en m'approchant du lit où ma fille était blottie, sous un tas de couvertures – j'avais l'impression d'entendre un râle sortir de la poitrine dudit Roger.

Elle grimaça. « Comment est-ce que tu fais ?

— Comment est-ce que je fais quoi, Alice ?

— Tu es en chemise. Par ce froid. À quoi tu joues ?

— Écoute, c'est sans importance. Oublie donc ça. Ce n'est pas de ma tenue que j'aimerais t'entretenir. Mais de choses bien plus graves. Je peux m'asseoir ? »

Elle se redressa aussitôt, visiblement contrariée. Je pris place néanmoins – bien que je n'y fusse pas invité – sur le bord de son lit. Elle grelottait.

« Je n'y arrive plus, déclarai-je. Bordel de Dieu, Alice. Je n'arrive plus à écrire. Ne me demande pas pourquoi, je n'en sais rien. J'ai mis un mois pour écrire trois pages, te rends-tu compte ? Je me retiens de ne pas crier, tu sais.

— Mais qu'est-ce que tu racontes ?

— Ne viens pas me dire que c'est comme le vélo, Alice. Épargne-moi ces stupidités. Je suis au trente-sixième dessous, tu sais. »

Elle soupira.

« Quoi? insistai-je. C'est comme si j'étais mort, non?
Ce n'est pas comme si j'étais mort, peut-être? »

Elle tendit une main fébrile vers sa table de nuit
pour prendre une cigarette. Non seulement elle grelottait, mais son nez coulait.

*

J'emmenai Jérémie choisir un chien. L'idée s'était
imposée lorsque j'avais pris conscience que mes travaux d'écriture allaient me rendre désormais moins
disponible. Il ne disait pas un mot et regardait droit
devant lui. La route filait entre les pins. Il avait attaché
sa ceinture et se tordait les mains. « Allons, ne sois pas
si nerveux », lui dis-je.

Le chenil se trouvait à une vingtaine de kilomètres à
l'intérieur des terres, dans les bois, et plus nous en
approchions, plus Jérémie se tassait sur son siège,
comme un vieillard peureux. Je l'observais du coin de
l'œil tandis que nous filions en direction des Pyrénées
et j'avais l'impression de le conduire à son premier
rendez-vous amoureux.

À cet égard, justement, je ne savais pas grand-chose
de lui. De son rapport aux femmes. J'ignorais ce qui
s'était passé durant ces six années derrière les murs
d'une prison. Et je ne voulais pas le savoir. Je n'avais
jamais abordé ce sujet avec lui. A.M. m'avait parlé
d'une fille avant l'épisode de la station-service, mais la
piste ne menait pas plus loin. Elle n'aurait pas pu dire

s'ils avaient couché ensemble, s'ils avaient été amoureux ou quoi que ce soit, car dès qu'elle avait le malheur de se montrer un peu curieuse, il explosait. Il hurlait après elle. Il la tenait pour responsable de tout ce qui n'allait pas, à commencer par la mort de son père – qu'elle avait, comble de l'infamie, quitté pour les beaux yeux d'une femme, lui aboyait-il au visage.

J'espérais que le chien était une bonne idée. J'allais devoir consacrer davantage de temps à mon bureau et je voyais déjà Jérémie rôder sous mes fenêtres si je ne faisais rien, me hélant pour m'avertir de sa visite – le décollage du roman constituait la partie la plus dure, la plus dangereuse de l'exercice, et il requérait toute l'attention et toute l'énergie de celui qui en avait pris les commandes.

Un sac de vingt-cinq kilos de croquettes à la viande rôtie trônait sur la banquette arrière. Ma participation à cette affaire. Mon cadeau. De la croquette haut de gamme. « Je te conseille le boxer, déclarai-je tandis que nous traversions une forêt de chênes d'un vert extraordinaire. Si tu vois un boxer, prends-le. Écoute-moi, prends-le. Le boxer est parfait. Intelligent, fort, dévoué, affectueux, généreux, etc. Surtout si c'est une chienne. Alors là, n'hésite pas. Tu ne seras pas déçu. »

J'avais téléphoné et ils m'en avaient mis deux de côté, dont une qu'ils avaient fait venir de Basse-Navarre, d'à peine trois mois.

« Tu as quelque chose contre les boxers? demandai-je pour meubler la conversation. Tu vois ce que c'est, au moins? Tu vas craquer, je te le garantis. Et n'oublie pas que c'est un animal à poil ras. Je ne vais pas te dresser la liste des avantages qui sont liés au poil ras chez un animal domestique. Tu les connais aussi bien que moi. En tout cas, cette fois, n'oublie pas de lui donner un nom. »

Les grilles du chenil apparurent quelques instants plus tard, largement ouvertes. Je me garai sur le parking. L'invitai à descendre, car personne n'allait choisir un chien à sa place.

Le directeur était un type charmant qui nous fit aussitôt entrer dans son bureau. L'extérieur était une forêt d'aboiements, de plaintes sinistres. Il me fit signer l'un de mes romans, en très mauvais état. C'était à force de l'avoir lu et relu, expliqua-t-il – de sorte que je lui pardonnais d'avoir corné les pages et soumis la couverture à si rude épreuve. Lorsque je lui annonçai que j'étais sur un nouveau roman, il devint tout rouge, balbutia. J'espérais qu'il m'en restait encore quelques-uns comme lui, de par le monde.

« J'ai vu votre fille, l'autre soir, me déclara-t-il tandis que Jérémie examinait les cages en clignant les yeux. Dans une émission. Elle tourne un film avec William Hurt, non ?

— Je n'en sais rien, répondis-je, me raidissant imperceptiblement. Je ne suis pas au courant.

— Elle a parlé de vous. De l'admiration qu'elle a pour vous, pour votre travail.

— C'est ce qu'un père aime à entendre », fis-je en regardant ailleurs.

Jérémie s'était arrêté un peu plus bas. Il s'était assis sur ses talons et fixait l'intérieur d'une cage. Encore une fois, j'avais du mal à imaginer ce garçon en train de braquer une station-service – et provoquant la mort du caissier, par-dessus le marché...

Bien qu'il m'eût livré tous les détails, un soir – les heures passées derrière le comptoir avec l'homme, dans une même flaque de sang, jusqu'au moment où, à deux doigts d'être exécuté par des policiers fous de rage, il s'était rendu –, je ne parvenais pas à y croire. Bien que sa participation active aux événements rapportés ne fît aucun doute, je demeurais incrédule.

Comment fallait-il s'y prendre pour imaginer ce garçon un fusil à la main ?

« Elle prétend que vous lui avez enseigné la cuisine.

— C'est faux. Je ne lui ai rien enseigné du tout. »

*

Un matin, je vidai ma boîte à lettres de toutes ses cartes postales et flanquai le lot entier dans une benne à ordures qui passait par là.

*

L'apprenant, deux jours après qu'elle fut rentrée de son séjour parisien, Judith ne voulut pas croire que je

140

n'avais pas jeté un seul regard sur ce que ma fille m'avait écrit. Elle n'en revenait pas, disait-elle. De ma dureté. De mon aveuglement.

« Je connais plus dur que moi. Bien plus dur que moi. Fais-moi confiance. Écoute. Judith. Sapristi. Tu n'es pas *obligée* de te mettre contre moi. Ça ne doit pas devenir un réflexe, tu sais. »

Je ne la revis pas jusqu'au soir. Elle monta dans mon bureau et se posta devant moi cependant que je tâchais d'écrire quelques lignes, que la nuit tombait.

« Je ne me mets pas *systématiquement* contre toi, je regrette. Mais je ne vais pas te donner raison lorsque je pense que tu as tort, j'espère que tu le comprends. »

Je levai les yeux sur elle.

« Pour me dire que j'ai tort, fis-je, il faudrait que tu aies toutes les choses en main. Que tu puisses juger en connaissance de cause. Or désolé, mais ce n'est pas le cas. Tu parles sans savoir. »

J'avais passé une partie de l'après-midi avec des phrases difficiles. Aucune personne au monde n'avait été aussi proche d'Alice que je ne l'avais été et rien ne m'agaçait davantage que lorsque l'on se mêlait d'avoir une opinion sur la relation qui nous unissait ma fille et moi – n'avions-nous pas déjà vécu toute une vie ensemble, n'avions-nous pas déjà pris la décisive avance d'une vie antérieure commune ?

« Je n'ai pas l'intention d'en discuter, déclarai-je. Si c'est elle qui t'envoie, elle te fait perdre ton temps.

J'aimerais que tu comprennes que ce n'est pas de l'entêtement de ma part ni une question d'amour-propre. J'aimerais penser que rien n'est irréparable, mais soyons sérieux une minute. Comment pourrais-je encore avoir affaire à une fille qui sacrifie son père à sa carrière d'actrice ? Tu sais, j'ai presque envie d'éclater de rire en prononçant ces paroles, tellement ça fait mal. Mais c'est fini, pour moi. C'est fini, avec elle. Comment a-t-elle pu en douter, d'ailleurs ? »

Elle s'installa sur le canapé d'Hemingway, en face de moi. Les derniers rayons du jour traversaient la pièce.

Elle se pencha vers moi. « Pardonner te grandirait, Francis.

— N'essaie pas ça. N'essaie pas ça avec moi. Je me fiche d'être grand. Je n'ai pas envie de grandir. Elle m'a laissé mourir à petit feu, elle m'a torturé durant des mois, sachant *pertinemment* ce que j'endurais. Pas la moindre compassion. Ce maladif besoin de publicité. Ce besoin de réussir à tout prix. À *n'importe quel prix*. Merde ! »

Elle soupira. « Mais qui les a rendus comme ça ? Qui les a endurcis à ce point ?

— Entièrement d'accord. Mais tous les pères n'ont pas été traités comme j'ai été traité. Tous les pères de ce pays n'ont pas fini en place de Grève, il me semble. J'entends écartelés, démembrés. »

Nous descendîmes pour manger. Franchissant la porte de mon bureau, je me retournai et jetai un dernier coup d'œil sur la pièce dans laquelle j'avais passé toute la journée à me battre, et il me sembla sentir l'électricité qui y flottait encore, entendre l'inaudible grésillement de l'air. Je refermai doucement.

*

Notre dernier rapport sexuel remontait à plusieurs mois. Je ne tenais pas à en établir le compte exact – c'était assez déprimant comme ça.

Ce soir-là, cependant, nous y eûmes droit, mais ce fut étrange. Pas désagréable le moins du monde, mais inhabituel, curieux, ce qui renforça mon sentiment qu'elle se donnait à d'autres hommes. Je ne savais pas à quoi cela tenait au juste, mais leur empreinte était là, je la devinais. Et une fois l'affaire terminée, comme je songeais à m'abattre tranquillement à ses côtés, elle me demanda de regagner ma chambre.

*

Une semaine durant, je tâchai de convaincre Jérémie de reprendre sa filature en dehors de ses heures de travail et de me rendre à nouveau compte des faits et gestes de Judith. Par chance, rares étaient ceux qui ne couraient pas après un revenu supplémentaire en ces temps de petite croissance, côté occidental. Jérémie avait une chienne à nourrir, désormais.

Depuis qu'il tondait le gazon du golf, il sentait

l'herbe coupée en permanence – et aussi le gasoil. J'avais le sentiment qu'il se battait moins, qu'un peu de sa tension retombait. Il n'était pas encore temps de crier victoire, mais une lueur semblait vouloir briller – A.M. déclarait, malgré l'état désastreux de sa propre santé, qu'elle respirait enfin.

Non qu'il lui consacrât une plus large part de son temps ou la ménageât ou se montrât plus attentionné, mais il lui paraissait moins tendu, moins refermé sur lui-même, totalement absorbé par la jeune femelle boxer qu'il avait adoptée – et dont l'existence même le subjuguait, le laissait pantois. Elle l'observait, me disait-elle, du fauteuil où son cancer l'assignait et elle assistait aux changements que j'avais remarqués de mon côté chez son fils.

« J'espère qu'il vous laisse travailler, m'avait-elle déclaré.

— Ça va, soyez tranquille. Je sais me défendre. Essayons de ne pas vivre comme des sauvages. »

Une vie s'était écoulée entre le moment où sans doute j'avais couché avec la jeune fille, et cette femme que je retrouvais dans une chambre d'hôpital, déjà à moitié morte, à moitié emportée dans les limbes. Je découvris à cet instant que la vie durait une demi-seconde.

« Je suis heureuse que vous vous remettiez au roman, me dit-elle. C'était ce que vous aviez de mieux à faire. »

J'empoignai ses deux sacs et me dirigeai vers la sortie tandis qu'elle signait des papiers à l'accueil. Jérémie s'était défilé. La voyant traverser le parking dans ma direction, je doutais de l'efficacité des traitements qu'on lui avait administrés. Lorsqu'elle prit place à côté de moi, pour le voyage de retour, je pensai à une ombre.

Les médecins estimaient qu'il était trop tard pour tenter quoi que ce soit et qu'elle serait bien mieux chez elle.

Jérémie était passé pour me demander un service, sous prétexte qu'il était coincé par un rendez-vous avec le vétérinaire.

Je la ramenai donc chez elle. Jérémie n'était pas un as du nettoyage et il avait trouvé le moyen, en quelques semaines, de semer un vrai bazar dans la maison. Le pire se concentrait à la cuisine. Elle s'accrocha au rebord de l'évier, vacillante, pour s'imprégner du spectacle.

Je soupirai en silence et la fis asseoir à la table – entièrement encombrée de couverts, d'assiettes, de canettes, de reliefs divers, avariés, racornis, secs. Il régnait une odeur désagréable, les casseroles et les poêles n'étaient pas lavées, le carrelage du sol poissait, des emballages, des briques de carton, etc., traînaient.

Je voulus arranger un peu les choses pour son retour, mais elle m'arrêta instantanément, d'un geste brusque. « Je vous en prie », fit-elle dans un souffle, gardant la main levée.

Dans son état, et considérant l'ampleur de la tâche, je pensais qu'elle n'en aurait pas fini avant la nuit tombée. À condition de prendre un fortifiant.

Plus sûrement que son cancer, la culpabilité la rongeait et la dernière flambée en date – Jérémie s'ouvrant les veines – l'avait littéralement ravagée, tétanisée, réduite. Si bien qu'elle n'était plus capable de lui résister, de lui imposer la moindre autorité – si elle l'avait jamais été. Elle se laissa donc mourir.

Début juin, elle ne pesait plus que quarante kilos. « Ta mère ne pèse plus que quarante kilos », déclarai-je à son fils.

*

Malgré tout, elle poursuivait ses enquêtes. Elle espérait mettre suffisamment d'argent de côté pour couvrir les frais d'enterrement et arrondir la somme qui reviendrait à Jérémie une fois qu'elle aurait disparu.

Je me demandais ce qu'il allait en faire. Personnellement, je pensais que cet argent avait une valeur particulière et que l'on ne pouvait pas l'affecter à n'importe quoi, qu'il avait presque une valeur sacrée – à défaut de sentimentale –, mais je n'avais déclenché qu'un bref haussement d'épaules. « En tout cas, ne fais pas confiance à une banque. Vois ce qui arrive. Tous ces gens dont elles ont englouti les économies. Des vies entières de privations et d'efforts. C'est sans commentaires. Tu vois toutes ces maisons à vendre ? Moi, je les vois. Que ça t'incite à la prudence. Que ça te fasse réfléchir. Prends un type comme Roger, par

146

exemple, quelle once de confiance pourrait-on accorder à ce genre d'homme ? Qui songerait à lui confier ses économies ? Ta mère se donne du mal, mon vieux. Quoi que tu en penses. Et c'est pour toi qu'elle le fait. Pas pour eux. Tu comprends ce que je veux dire ? »

Il n'en avait pas l'air. Une partie de son attention était tournée à l'intérieur de lui-même, tandis que l'autre ne quittait pratiquement pas sa chienne, de l'aube au crépuscule, de sorte qu'il n'avait plus guère d'attention à accorder au reste, comme si rien d'autre n'existait que ces deux pôles.

« Ça ne fait rien. Ne vous cassez pas la tête, me disait-elle. Laissez-le faire ce qu'il veut de cet argent. Ça m'est parfaitement égal. »

Son teint était gris-jaune. La moindre filature l'épuisait. Elle tamponnait son front moite. Au point que Judith, longtemps réticente, perplexe, avait fini par la prendre en pitié et quelquefois invitée à partager notre repas.

Judith prit Jérémie à partie, un matin – la veille au soir, sa mère avait eu un malaise dans notre cuisine et nous l'avions trouvée dans un état de faiblesse épouvantable après nous être penchés sur elle et avoir écouté son souffle court. Elle lui déclara qu'elle préférait ne pas avoir eu d'enfant si c'était pour être récompensée de la sorte, pour se heurter à tant d'ingratitude, etc.

Jérémie se figea. Il baissa les yeux. Pour quelque raison que ce fût, il n'en avait jamais mené bien large

147

en présence de Judith. Elle l'intimidait sacrément. Un jour que je m'en étonnais auprès de lui, il était devenu dans la seconde écarlate et s'était mis à bredouiller.

Certes, Judith avait une forte personnalité. Je pouvais en témoigner. Il se sentait désemparé, retombé en enfance à la moindre remarque – j'en avais la confirmation, cela se déroulait sous mes yeux.

Je savais que le peu d'empressement qu'il avait montré à la filer, au cours des mois précédents, avait à voir avec la domination qu'elle exerçait sur lui. Je le savais très bien.

Au fond, c'était encore un adolescent. La plupart des garçons de son âge n'étaient encore que de tristes andouilles, fades et sans défense, incapables de regarder une femme dans les yeux plus de deux ou trois secondes, et je le vis rapetisser sous les reproches qu'elle lui adressait concernant son indifférence, littéralement rétrécir, se rétracter, se recroqueviller tandis qu'elle l'accablait.

Quelques jours plus tard, au retour d'un dîner chez des amis, nous trouvâmes un carton devant la porte. Il s'agissait d'un gâteau. Soigneusement confectionné, indiquait la carte jointe, par Jérémie et sa mère qui, à cette occasion, avaient uni leurs forces. Je proposai que nous y goûtions. Par cette nuit claire, douce et sans vent, sans le moindre moustique, sans le moindre insecte, sans le moindre papillon volant – leur totale disparition avait constitué l'un des thèmes de la soirée, de même que la fin programmée de l'Occident et la mise au point du moteur à eau.

*

Une semaine après l'enterrement de Johanna et d'Olga, j'avais vendu notre appartement, mis nos affaires au garde-meuble et nous avions voyagé durant plusieurs mois.

La veille du départ, Alice entra dans ma chambre et me trouva assis sur le lit, à la tombée du soir – moment de la journée où je me sentais particulièrement anéanti, particulièrement vide et souffrant.

Je savais que Johanna tenait un journal. Je savais où elle le rangeait. Mais deux bonnes semaines s'étaient écoulées et je ne m'en étais pas emparé. Il fallait une certaine dose de courage pour plonger la main dans un tiroir de sa commode, la glisser entre ses affaires, au milieu de sa lingerie, et ce courage, cette force, je ne les avais pas encore trouvés.

Alice me jeta le journal de sa mère à la figure. Je compris aussitôt de quoi il s'agissait. Le carton de la couverture me fendit légèrement les lèvres avant de poursuivre sa course à travers la chambre.

« Tu me dégoûtes, me dit-elle.

— Fort bien », répondis-je.

Cette virée dans les Grisons me coûtait décidément bien cher. Je me retirai dans la salle de bains et m'enfermai afin de pouvoir nettoyer tranquillement, sans être dérangé, le sang qui avait coulé sur mon menton. Elle frappa aussitôt à la porte, me sommant d'ouvrir. J'ouvris le robinet d'eau froide et me tamponnai la lèvre tandis qu'à présent elle envoyait de bons coups de pied et poussait de longs hurlements. « Saallaauuud!!... criait-elle, tambourinant violemment à cette pauvre porte tandis que mon sang tombait goutte à goutte dans le lavabo. Ouvre-moi, espèce de saallaauuud!!... »

Le lendemain, lorsque nous embarquâmes pour Sydney, elle portait de grosses lunettes sombres et n'avait pas desserré les lèvres depuis son réveil. Le psy nous avait conseillé de voyager ensemble, de prendre quelques mois pour nous retrouver et, ma foi, tout ça commençait bien mal. J'étais – m'avait-elle sinon dit, du moins largement fait sentir – la dernière personne au monde avec qui elle avait envie de se retrouver.

J'avais une assez bonne idée de ce qu'elle avait pu lire sur mon compte car je savais comment sa mère l'avait pris. Très mal. Très très mal. Et Johanna n'était pas femme à mâcher ses mots.

Je n'avais plus aucune chance d'apprendre de la bouche d'Olga comment elle aurait apprécié ma conduite, mais je doutais que la balance eût penché de mon côté. Les trois femmes étaient contre moi. Les trois me condamnaient. La seule qui était encore en vie ne m'adressait même plus la parole.

Comme nous descendions sur Singapour et que je

me réjouissais de pouvoir fumer une cigarette ou deux, nous traversâmes de fortes turbulences. L'avion se mit à bondir au milieu des nuages noirs. Les plateaux-repas volèrent avant que les hôtesses n'aient pu les retirer. Les gens hurlèrent. Les masques à oxygène tombèrent des plafonds. Je me serais mis à claquer des dents en temps normal, je me serais mis en position de crash après m'être signé, l'effroi aurait tordu mes traits, etc., mais pas cette fois, non, cette fois je restais de marbre, je me fichais de mourir, je me fichais royalement de mourir... au lieu de quoi je lui tendis résolument mon bras par-dessus la travée – elle avait demandé à ne pas être assise *juste à côté* de moi et une garce au comptoir d'Air France, une blonde sexy, m'avait fixé quelques secondes avant d'accéder à son désir.

L'homme installé devant moi, tandis que l'avion dégringolait de plusieurs milliers de mètres, hurlait que nous allions tous y passer, mais je gardais la main tendue en direction d'Alice, fermement tendue, paume offerte, sans ciller. Dans sa chute, l'Airbus ronflait et sifflait comme une chaudière tandis que ma fille grimaçait et se demandait si elle devait lâcher ses accoudoirs et me tendre cette fichue main à présent, maintenant que nous étions au seuil de la mort. Je ne savais pas si elle avait compris que le sort de cet avion était entre ses mains. Qu'elle n'avait qu'un seul geste à faire pour que ce cauchemar s'arrête.

On se serait crus dans un poulailler en folie. Quelle

stridence. Quelle clameur. Tout valsait, tourbillonnait. Les hôtesses, dans leur coin, serraient les dents.

Oui, j'avais couché avec Marlène Antenaga, mon éditrice. Oui, je l'avais fait. Mais j'étais loin de chez moi, dans les Grisons, j'étais saoul et cette femme dirigeait l'une des plus prestigieuses maisons d'édition au monde – certains auraient tué père et mère pour apparaître dans son catalogue. Cette femme, Marlène Antenaga, pouvait mettre fin à la carrière d'un écrivain sur un simple claquement de doigts. Aurais-je donc dû me suicider ? Aurais-je dû tirer un trait sur les encarts pleine page et les longues interviews qu'elle m'obtenait à la sortie de chacun de mes romans ? Nous avions tellement ri en remontant vers le chalet – j'avais vidé une bouteille de gin avec Martin Suter et Robert McLiam Wilson. J'avais le poignet endolori par la signature des autographes. Quelle merveilleuse soirée. L'odeur de la nuit, dans les Grisons. Les lointains et doux relents d'étables dans l'air glacé. L'étroit escalier qui menait à nos chambres, sous les toits. Les formidables édredons en pur duvet. La brume inondant la vallée. Les cloches autour du cou des vaches. La neutralité. La pierre sur laquelle Nietzsche venait s'asseoir et méditer.

*

J'étais veuf depuis un peu plus d'un an lorsque je poussai la porte d'une agence immobilière du centre-ville à la recherche d'une maison car j'avais décidé qu'Alice et moi ne pouvions plus vivre au même endroit – du moins si je voulais la garder vivante.

Je levai les yeux et il me sembla que je regardais une femme pour la première fois depuis une éternité.

Durant les jours qui suivirent, elle me fixa des rendez-vous et me fit monter dans sa voiture tandis qu'Alice continuait sur la voie de la défonce plurielle et systématique, flanquée de ce rejeton de banquier avec qui elle traînait depuis maintenant des mois – ce type avait vomi dans la salle de bains, brûlé des tapis, cassé de la vaisselle, effrayé les voisins, marché dans l'appartement des nuits entières, ce type était une véritable plaie, je le détestais, mais je ne voulais pas qu'Alice me fausse compagnie, ce qu'elle m'avait menacé de faire lorsqu'un matin, prenant mon petit déjeuner, je vois cet imbécile arriver du fond du couloir, tenant à peine sur ses jambes, comme s'il avait son aiguille encore plantée dans le bras, et le voilà qui s'effondre sur la table, envoyant mon bol de café en l'air, mon fromage blanc, mon riz soufflé, et ce que je ne reçois pas en pleine figure explose sur le carrelage et se répand à mes pieds, alors la rage me prend, je me lève en renversant ma chaise, je m'essuie le visage d'un coup, je jette la serviette, puis j'attrape ce cinglé par le col et le traîne jusque sur le palier où je m'apprête à le lancer au bas des marches, quand elle paraît, blanche comme un spectre, elle paraît et m'encourage : « Fais-le, me dit-elle. Vas-y, fais-le, et tu ne me reverras plus jamais, espèce de salaud. »

L'insulte était restée, en dépit des mois passés ensemble à droite et à gauche – et en raison de l'extrême lâcheté dont je faisais preuve afin que les choses n'aillent pas encore plus mal qu'elles n'allaient. Alice ne s'en servait plus toutes les minutes – comme durant notre séjour à Sydney au terme duquel j'avais fini par penser qu'*espèce de salaud* était devenu mon nom – mais elle l'employait encore en certaines occasions. Je la regardai puis lâchai l'objet de sa sollicitude qui ne s'était aperçu de rien et semblait avoir sombré dans un coma grincheux. Quand on n'a plus qu'une fille et qu'on ne veut pas la perdre, l'issue de chaque bataille est connue par avance.

Cette semaine à sillonner les environs en compagnie de cette femme qui m'emmenait visiter des maisons me ramena brusquement à la vie. Je m'éveillais à nouveau, clignant des yeux, au terme de cinq cents jours de deuil dont je sortais affaibli. Elle conduisait une Lexus – d'occasion, avait-elle fini par m'avouer au matin du troisième jour où déjà l'on s'appelait par nos prénoms, Judith, Francis, etc. « Les affaires ne marchaient pas aussi bien lorsque je pilotais ma Honda Civic », avait-elle ajouté en riant.

J'étais abasourdi. Je ne compris pas aussitôt ce qui m'arrivait. J'étais heureux d'être de retour au Pays basque. De revoir les rayons du soleil étinceler à travers la pluie, de respirer l'air de l'océan, de rouler au milieu des forêts, de retrouver le goût du piment et du fromage de brebis. Mais ce n'était pas tout.

Je faisais le difficile, pour le choix des maisons, prétendant qu'il me fallait en voir un maximum avant de me décider. Je m'installais confortablement dans la Lexus et me laissais conduire à travers le pays, de l'intérieur des terres à la côte. Le printemps arrivait, précédé de grands ciels lumineux. Les pensées les plus folles m'assaillaient.

Elle avait lu mes livres. Tous mes livres. J'avais l'impression de vivre dans un rêve. « Mais surtout, j'adore votre écriture », avait-elle ajouté.

« Une chance », avais-je pensé, car cette Judith était une très jolie femme, plus jeune que moi d'une dizaine d'années et financièrement indépendante.

« Vous me faites rougir », avais-je dit.

Le lendemain, elle me proposa de visiter une maison en bordure de l'océan. Puis se ravisa. La maison était parfaite mais nous étions au-delà du budget que j'avais annoncé. « Une villa de style andalou, soupira-t-elle. Je l'adore. Frank Sinatra y a séjourné après le tournage de *L'homme au bras d'or* qui l'avait littéralement épuisé.

— Comparé à Hemingway, Nelson Algren, ma foi, ne vaut pas tripette, fis-je. Mais allons tout de même y jeter un coup d'œil. Qui sait ?

— Jamais de la vie, Francis. Je ne veux pas avoir l'air de vous forcer la main. N'insistez pas... »

Je sus, dès qu'elle se gara devant la maison en question, qu'il s'agissait de la bonne.

Sous les combles, je découvris une vaste pièce qui aurait à coup sûr fini de me persuader que je ne me trompais pas si j'avais conçu le moindre doute à cet égard. Je voyais déjà où j'allais placer mon bureau, la cafetière électrique, le canapé. Je me voyais déjà devant mon écran, lancé dans la bataille des prix – Marlène Antenaga, fair-play, m'avait réintégré dans les rangs de la maison, le jour même de l'enterrement, après m'avoir étreint et embrassé sur les deux joues devant la presse qui avait annoncé que je changeais d'éditeur quelques jours plus tôt.

De la fenêtre, on voyait l'océan. « Ce n'est pas la maison d'Edmond Rostand, dis-je, mais c'est pas mal. C'est franchement pas mal. Le propriétaire est fou, bien sûr. Il n'en obtiendra jamais autant. Mais la maison est vraiment pas mal. »

Nous nous regardâmes.

« Épousez-moi, lui dis-je. Vous êtes mon unique espoir. »

Je vacillai à l'idée d'avoir devant moi la femme qu'il me fallait dans la maison qu'il me fallait. À l'idée de ma résurrection. Je me retrouvai bientôt la bouche entièrement sèche.

*

Le jour où Roger avait écrasé les doigts de sa fille en se balançant sur un rocking-chair de solide facture, il avait juré de ne plus prendre aucune drogue. L'accident avait eu lieu alors qu'il était totalement défoncé et était censé veiller sur les jumelles. Il avait renoncé à se couper la main comme il l'avait envisagé au départ, mais il avait profité de ma présence dans la capitale pour me prendre à témoin de la disparition immédiate de tout son stock dans le conduit des toilettes et, à ma grande stupéfaction, il semblait avoir tenu parole et Alice avait suivi.

Anne-Lucie avait à peine un an lorsqu'elle s'était approchée à quatre pattes du dangereux imbécile qu'elle avait pour père et qui, dans un ultime balancement halluciné, repartant lourdement en avant, fermement agrippé aux accoudoirs, lui avait réduit les doigts en bouillie – qu'elle ne perdît que deux phalanges tenait tout simplement du miracle. Quant à leur mère, en week-end chez le producteur d'une comédie indigeste qu'elle s'apprêtait à tourner pour la télé, on ne pouvait guère l'exempter d'une bonne part de responsabilité dans cette épouvantable affaire.

Mais quoi qu'il en soit, ils avaient réagi et étaient parvenus à constituer une famille relativement normale – ce qui m'avait amené à tempérer mes critiques, à en rabattre sur mes sarcasmes.

Ils revenaient de loin. Contrairement à Judith, qui n'avait pas eu l'heur de cohabiter avec eux à l'époque où les dealers et Police-Secours se bousculaient à ma porte, je restais néanmoins sur mes gardes. Non que j'eusse, encore une fois, refusé de reconnaître les progrès qu'ils avaient accompli – d'autant que Judith et moi, au terme de trois ans de mariage, n'étions pas l'exemple d'une totale réussite.

J'en étais là de mes réflexions, rêvassant, tandis que Judith examinait quelques brochures de voyage au comptoir d'Air France, lorsqu'ils descendirent sous un banc de lourds nuages, face au vent qui remontait le golfe de Gascogne.

Il y avait une demi-douzaine de photographes à l'aéroport de Biarritz-Parme, ce matin-là. Le ciel était blanc, le vent soufflait. Aux dernières nouvelles, Alice était soupçonnée d'entretenir une liaison avec l'un de ces acteurs à la gomme et cela provoquait une espèce d'agitation autour d'elle. Des flocons gros comme des noix voltigeaient sur la piste. À peine mariée – les jumelles avaient juste deux ans –, à peine débarrassée de ses mauvaises manies – elle ne croquait plus que quelques somnifères, de loin en loin, lorsque la pression était trop forte –, la voilà qui s'essayait à autre chose, la voilà qui s'éveillait à d'autres disciplines – j'étais heureux de n'être que son père, quelquefois.

Bref, quoi qu'il en soit, nous la vîmes arriver ce matin-là, resplendissante, sortant d'un tourbillon de neige – Noël approchait à grands pas. Aussitôt, les flashs crépitèrent. Elle prit quelques poses. Après quoi, elle se dirigea vers nous.

« Vous êtes en pleine forme, tous les deux », déclara-t-elle d'une voix rauque tandis que Roger et les jumelles – un instant relégués à la récupération des bagages – agitaient force bras vers nous.

« Roger s'est fait poser des implants ? ai-je demandé en clignant les yeux en direction de mon gendre qui venait d'empiler trois énormes valises et quelques sacs sur un chariot.

— Mais non. Jamais de la vie, répliqua-t-elle sur un ton exaspéré.

— Ah bon. Au temps pour moi. Je l'aurais juré. »

Elle portait elle-même au bras plusieurs sacs en provenance de boutiques de luxe, parfumeur, traiteur, chocolatier, dont je proposai de la débarrasser afin qu'elle puisse prendre Judith dans ses bras sans tout réduire en miettes.

En lui tendant sous le nez le micro d'une radio locale, une fille à grosse poitrine et petites lunettes réduisit sensiblement les effusions.

Alice la considéra une seconde. « Merci. Mais je ne vais faire aucun commentaire. Je ne dirai rien. Comprenez-moi bien. Brad est sans doute le plus gentil garçon que je connaisse, je le répète, mais avoir une liaison avec son partenaire est le plus *sûr* moyen d'aboutir au plus *médiocre* numéro d'acteurs qui soit. Je suis ravie que nous ayons eu un tel succès ensemble. Laissons les mauvaises langues, les intégristes, les envieux, les journaux à scandales, etc., à leur morne besogne, voulez-vous ? Mon mari est là. Mes enfants sont là. Mes parents sont là. Franchement. Ai-je l'air d'avoir pris la fuite avec mon amant? Soyons sérieux. Vous verrez que bientôt on me prêtera une liaison avec Jack Nicholson. Quel âge a-t-il, à présent? Quatre-vingts? Seigneur! Écoutez, j'aimerais simplement dire une chose. Angelina est mon amie. Écoutez, je sais que pour certains, ça ne veut pas dire grand-chose. Mais pour moi, oui. Comprenne qui pourra. »

Je la regardais. Elle avait repris du poids, elle rayonnait, elle respirait la santé, l'énergie, la beauté. Elle était devenue, je m'en rendais bien compte en l'observant, ce matin-là, et sans guère de possibilités de me tromper – tandis que des rafales de vent agitaient de longs vortex ululants de feuilles mortes et de neige aux reflets bleus derrière les baies où d'ordinaire on apercevait les Pyrénées par beau temps –, l'une de ces jeunes actrices détestables, pleines d'assurance et de morgue, tout à fait insupportables.

Mais il me semblait que je la préférais ainsi plutôt qu'en junkie ou en accidentée de la route, j'étais son père, je n'avais guère d'autre choix, en sorte que je ne cherchais pas les ennuis avec elle et comptais sur le temps et l'introspection pour sauver son âme.

À présent, le feu la dévorait, c'était clair. Le poison s'était emparé d'elle. Souvent, les actrices ne redevenaient fréquentables qu'à partir de la cinquantaine, lorsque les masques commençaient à tomber.

À peine arrivée, elle s'était enfermée dans mon bureau et était restée pendue à mon téléphone durant une bonne heure.

« J'espère qu'elle appelle en PCV, fis-je en tisonnant une grosse bûche de hêtre qui étincelait. J'espère également que ma maison d'édition ne cherche pas m'appeler. Ils ont ma ligne directe. Ils savent qu'ils peuvent m'appeler à tout moment, jour et nuit. »

En guise de réaction, Roger poussa une sorte de gémissement. Je relevai la tête. Nous étions seuls, Judith couchait les enfants.

« Ça ne va pas ? » demandai-je, prenant enfin acte de son teint hâve et de sa piètre allure générale. Je lui tendis un verre.

« Tout est vrai, ricana-t-il. Tout est rigoureusement vrai, Francis. Ils ont passé une semaine ensemble dans un palace de Saint-Raphaël. Merde ! Elle ment comme elle respire ! »

Je hochai la tête en silence. Puis je relevai les yeux sur lui. « Toute petite, elle mentait déjà, dis-je. C'est terrible. »

*

Il y avait toujours eu un prix à payer pour se promener avec une jolie fille à son bras. Et si, pour une raison quelconque, cette jolie fille était un tant soit peu connue – actrice, héritière, chanteuse, mannequin, présentatrice, écrivain –, mieux valait prendre la plaisanterie avec flegme, mieux valait s'arracher le cœur avant de franchir la porte.

*

Deux jours plus tard, cédant à leur impétueux rituel, de vieux nageurs arthritiques se jetaient vaillamment dans l'océan glacé et ressortaient avec le sourire aux lèvres – bien qu'ils fussent un peu plus proches de la mort – tandis qu'Alice et moi prenions notre petit déjeuner dans la maison silencieuse. Elle me regardait beurrer les toasts avec attention, légèrement amusée. Le menton appuyé au creux des mains. Indolente. Alice avait les yeux ouverts mais son visage était encore endormi.

J'avais repris espoir le jour où je l'avais de nouveau croisée dans la cuisine, de bon matin, j'avais compris alors que nous étions tirés d'affaire – du moins pour partie.

À l'aube et sa pâleur succédait à présent une lumière cuivrée – qui avait dû être rouge quelque part – où vibraient de microscopiques particules scintillantes. Le vent était complètement tombé. Une fine couche de glace luisait à la surface du tapis neigeux qui recouvrait le jardin et commençait à fondre dans l'air salé.

« Avant tout, laisse-moi te dire que tu es mal placé pour me faire la morale.

— Je te rapporte simplement les propos qu'il m'a tenus, je ne juge pas ta conduite. »

Nous échangeâmes un sourire.

« Je ne comprends pas ce qu'il a, dit-elle. Avant, il n'était pas comme ça.

— Avant, tu aurais pu partir six mois en compagnie de qui bon t'aurait semblé sans qu'il s'en aperçoive. »

Je pressai quelques oranges, mis quelques œufs à cuire tandis qu'elle s'étirait. Elle me convenait nettement mieux ainsi, lorsqu'elle n'était pas maquillée et qu'elle n'était vêtue que d'un vague tee-shirt – ABUSE OF POWER COMES AS NO SURPRISE – et d'un pantalon de pyjama chinois noir et bleu et qu'elle était hirsute et qu'elle se remettait à bouger, à parler, à respirer, à penser, comme une personne normale.

« Je ne devrais pas le dire, mais j'ai passé une merveilleuse semaine avec lui. Il est incroyablement beau, non ? Nous ne nous sommes pas quittés une minute. Nous nous sommes accordé de vraies vacances. À part toi, personne ne savait où j'étais. Je n'avais pas éprouvé un tel sentiment de tranquillité et de liberté depuis des lustres.

— Je vois parfaitement de quoi tu veux parler, tu penses bien. On a parfois envie d'aller se perdre en forêt. De ne plus obéir à rien, de n'être plus joignable... Mais sinon, j'ai le sentiment que Roger ne le prend pas aussi bien que les autres fois... C'est assez long, une semaine. J'imagine que si Judith disparaissait au bras d'un individu pendant une semaine entière, quel que soit l'état d'engourdissement de notre relation aujourd'hui, je ne l'apprécierais que très moyennement. »

Je servis les œufs et m'installai face à elle. Devait-on maudire le Ciel pour ce qu'il nous avait pris ou lui rendre grâce pour ce qu'il nous avait laissé ?

« Mangeons avant que ce ne soit froid, dis-je.

— Ça va, avec Judith ? »

Je haussai mollement les épaules. Cinq bonnes années me séparaient de la mort de Johanna et je ne m'en sortais pas réellement. J'avais cru qu'épouser Judith mettrait fin à mon tourment, mais l'illusion n'avait pas duré très longtemps et nous avions fêté notre troisième anniversaire de mariage dans un Relais & Châteaux normand où j'avais eu le bon goût de fondre en larmes.

« Nous faisons l'amour dans le noir, fis-je en taquinant un jaune de la pointe de mon couteau. Il y a du positif et du négatif là-dedans. Néanmoins, l'autre jour, comme j'allais fleurir la tombe de ta mère et de ta sœur, elle m'a déclaré qu'elle ne m'accompagnerait plus au cimetière, dorénavant. Elle n'avait pas besoin de m'expliquer pourquoi. C'est ce qu'elle m'a dit : *Je n'ai pas besoin de t'expliquer pourquoi.* »

Ma fille me prit la main un instant – je ne refusais jamais que l'on me réchauffât le cœur quand l'occasion se présentait. Je ne savais pas comment nous nous étions débrouillés pour franchir les abîmes, pour traverser les ouragans, pour courir au milieu des flammes, pour avaler une simple bouchée de nourriture par moments, mais une chose était sûre : elle n'aurait pu y parvenir sans mon aide comme je n'aurais pu y parvenir sans la sienne.

Je n'aurais pas su dire à quel moment au juste elle avait commencé à se prendre au sérieux. Quel glissement s'était produit. Ce que je croyais drôle ne l'était donc pas? Ce n'était pas du second degré?

Le métier d'actrice est le pire qu'une femme puisse choisir. Pour elle comme pour ceux qui l'entourent. Et Alice avait foncé dans le piège la tête la première.

Lorsqu'elle me lâcha la main, je sursautai.

« J'attends toujours cette pièce que tu as promis de m'écrire, me dit-elle.

— Une pièce? Rien que ça. Comment aurais-je pu te promettre une telle chose? Je n'arrive pas à dépasser les dix feuillets.

— Tu me l'as promis.

— Eh bien, c'est que j'étais fou. Si jamais je t'ai promis une chose pareille, Alice, crois-moi, c'est que j'étais fou. Et incroyablement vaniteux quand le seul talent que je possède encore, aujourd'hui, consiste juste à savoir écarter ce qu'il ne faut pas faire. C'est bien, mais c'est léger. Ça ne m'ouvre pas de grands horizons.

— Si tu te souciais réellement de ma carrière, tu me l'écrirais.

— Ne dis pas ça. Bien sûr que je me soucie de ta carrière. Depuis le jour de ta venue au monde, je me soucie de ta carrière. Alors ne me dis pas que je ne me soucie pas de ta carrière, s'il te plaît. Ne dis pas de bêtises. Dès que je serai d'attaque, je t'en écrirai une douzaine. Davantage encore. Je ne demande que ça. Je suis prêt à épouser n'importe quelle religion pour que cette grâce me soit rendue, je suis prêt à prier n'importe quel Dieu si le talent d'aligner cinq cent mille signes avec un début et une fin m'est de nouveau accordé. »

Elle secoua la tête. Elle regarda dehors puis me demanda ce que j'avais pour déblayer l'allée car elle se sentait d'humeur à faire de l'exercice.

Je ne lui trouvai rien de mieux qu'une pelle et un balai de jardin. Ici, on avait coutume de dire que les chances d'apercevoir les jupons de l'Impératrice Eugénie étaient bien plus grandes que de voir la neige tomber au pays.

Elle enfila un survêtement et se mit au travail. C'était une excellente initiative qu'elle avait prise là, au regard de l'extrême facilité avec laquelle je m'attirais toutes les variétés de sciatiques, lombalgies, cruralgies, etc., disponibles sur le marché. Mon premier mal de dos était apparu quelques jours après l'accident et j'en avais connu bien d'autres depuis – qu'aucun massage désormais ne soulageait plus. Si au moins je n'avais été cassé qu'en tant qu'écrivain, songeais-je avec un reste d'amertume, il n'y aurait eu que demi-mal…

Quoi qu'il en soit, la regarder pelleter toute cette lourde neige à ma place me ravissait – les occasions d'éviter un tour de reins n'étant pas si fréquentes.

Le passage de l'adolescente à la femme m'avait échappé. Et cette personne que je voyais s'agiter dans mon jardin – efficace, rubiconde, hardie, soufflant des jets de vapeur immaculée dans l'air vif –, j'avais toutes

166

les peines du monde à imaginer qu'elle avait été une étincelle à l'intérieur de moi, avant même que n'intervienne sa mère.

Roger me tira de ma rêverie. « Être amoureux de cette femme est une malédiction, grinça-t-il dans mon dos. Elle me rend chèvre.

— Roger ? Hello. Bien dormi ? »

Il grimaça.

*

Il était sept heures du matin. J'allais chercher Jérémie au poste de police. Je bâillais, j'étais à peine réveillé, je me frottais encore les yeux – j'avais travaillé très tard, sur un paragraphe récalcitrant, puis j'étais tombé sur mon lit, mort de fatigue, et le téléphone m'avait réveillé en sursaut. L'aube était encore blanche, diaphane, mais il s'y glissait une brise déjà tiède en provenance de l'océan. Dans mon métier, si l'on capitulait devant un paragraphe, si l'on ne réglait pas le problème avant d'aller se coucher, on ne pouvait pas gravir les échelons, on se condamnait à rester un écrivain de seconde zone.

Il se trouvait dans une cellule. À nouveau derrière des barreaux. Le commissaire me rassura et déclara que je pourrais repartir avec Jérémie, mais je devais avertir le garçon qu'ici, entre ces murs, on ne voulait plus entendre parler de lui.

« Faites-lui entendre raison, Francis. Mes vœux vous

accompagnent. Personnellement, je n'y crois pas. Ce qui se passe dans la tête d'un gamin de dix-huit ans capable de braquer une station-service, je vais vous dire... c'est déjà du costaud. Ce n'est pas comme d'aider un aveugle à traverser la rue... »

J'opinai du bonnet.

« Ne vous laissez pas entraîner là-dedans, me conseilla-t-il.

— Pas de danger. Je suis en train d'écrire un roman. Je n'ai plus une minute à moi.

— C'est fascinant. Écrire un roman doit être fascinant. Ça me fascine. »

J'opinai du bonnet.

Je ressortis en compagnie de Jérémie. Il y avait une cafétéria en face. J'avais besoin de boire un café pour me réveiller totalement. De mordre dans une petite pâtisserie moelleuse pour me récompenser de m'être levé aux aurores. Je fis signe à Jérémie de commander ce qu'il voulait. Son œil droit ressemblait à un pruneau d'Agen, son nez à une tomate Cœur de Bœuf. Sa main droite était bandée au moyen d'un linge, ou de je ne sais quoi. Et le jour se levant sur lui, le couvrant d'or, ne parvenait décidément pas à donner le change.

Ensuite, je l'accompagnai directement à la fourrière et nous récupérâmes sa chienne qui n'eut de cesse de bondir dans tous les sens en envoyant des paquets de bave un peu partout. Nous longeâmes la côte pour revenir. Au large du casino, enfourchant leur planche, la main en visière, indécis, les premiers surfeurs de la journée scrutaient l'horizon muet, droits comme des chiens de prairie. Le ciel virait au bleu profond. Sa chienne se tenait tranquille à présent, la langue pendante sur la banquette arrière.

« J'ai décidé de ne pas lui donner de nom, marmonna-t-il. Finalement, je trouve ça stupide de donner un nom à un animal. »

Je ne répondis rien. Je me garai devant chez lui et descendis sans l'attendre.

Je retrouvai A.M. dans la pénombre du salon. « Il s'en tire bien. Cessez de vous angoisser. Allons, c'est fini, c'est déjà de l'histoire ancienne.

— Heureusement que vous êtes là, Francis. Je n'arrive même plus à conduire, vous savez. J'ai tellement peur qu'il ne m'arrive quelque chose pendant que je conduis. Je préfère arrêter tout de suite, puisque c'est ça. Et bientôt, je ne pourrai plus marcher, j'imagine. Ça va être gai. »

Après qu'elle eut écarté un rideau, nous restâmes sans un mot à regarder Jérémie qui jouait avec sa chienne devant la maison. À la dérobée, j'avisai le portrait de son défunt père sur la cheminée, dans sa tenue de coureur cycliste, avec son air énigmatique – je ne me sentis pas l'envie de lui adresser un clin d'œil.

*

Le voisin faisait tailler ses haies. C'était insupportable. Même avec les fenêtres fermées. À cause du caractère erratique des pétarades, il n'y avait aucun moyen de s'habituer au boucan – au ronflement aigu de mobylette – que produisait l'engin. J'espérais que quelqu'un allait abattre cet épouvantable jardinier ou lui rentrer son effroyable machine dans la gorge une fois pour toutes – j'étais prêt à payer quelqu'un pour ça – mais rien ne venait.

Le silence retombait. Puis l'autre renvoyait soudain les gaz au moment où l'on s'apprêtait à remercier le Ciel d'avoir mis fin à ces tortures. J'étais prêt à donner une certaine somme d'argent pour qu'il arrête.

Je me demandais si Hemingway serait allé lui casser la gueule. Je pensais à lui car j'avais relu *Les neiges du Kilimandjaro*, la veille au soir, et j'avais songé voilà bien l'un des meilleurs écrivains que je connaisse. Je le pensais chaque fois que je relisais cette histoire, sans coup férir. Superbe écrivain. Puissant. Économe. Rusé. Dommage qu'il n'ait pas épousé ma tante comme il le lui avait promis – mais il était surtout amoureux de Brett à l'époque.

Il existe une photo, désormais célèbre, où il porte un gros pull blanc, au col largement échancré, décoré de torsades, parfait pour les sports d'hiver, et ce pull, ma tante l'avait tricoté pour lui. Je n'invente rien. Elle m'en tricota un à l'identique avant de mourir, que je n'ai jamais osé mettre – mais j'avais toujours écrit, dès lors, en m'efforçant d'en être digne.

Je sortis dans le jardin en me bouchant les oreilles et marchai droit sur le fauteur de trouble et sa machine à long manche, puante, vociférante, hérissée de lames. L'homme portait un casque anti-bruit. Je lui touchai l'épaule. Une visière de plastique lui protégeait le visage. Il stoppa le moteur. Lorsque je m'aperçus qu'il s'agissait de Jérémie, je tournai les talons, mais il me lança : « Vous êtes fâché ?

— Fâché ? Pourquoi le serais-je ?

— Vous ne m'avez pas adressé la parole depuis trois jours.

— Ça, c'est autre chose. Ça ne veut pas dire que je suis fâché. Je ne suis pas fâché du tout. Je n'ai rien à te dire. Ce n'est pas pareil. Je me suis demandé pourquoi nous continuerions à perdre notre temps, toi et moi. Pourquoi userions-nous notre salive en vain ? Puisque tu ne m'écoutes pas. Puisque tout ce qui t'intéresse, au moment où ta mère se meurt un peu plus chaque jour, là, sous tes yeux, c'est de promener ta chienne ou de rentrer au milieu de la nuit avec la figure en sang ou ne pas rentrer du tout et finir la nuit au poste en compagnie des cinglés et des ivrognes de ton espèce. Que puis-je dire à ça ? Que puis-je dire, à ce stade ? Si tu en es là. Écoute, je finis par me demander si tu prends tes médicaments. Je me demande si tu n'es pas en train de te moquer de nous, Jérémie. »

Il me jura qu'il les prenait. Je ne pouvais pas vérifier. Je haussai les épaules et retournai chez moi. Je refermai la baie. Il regardait dans ma direction sans broncher. Je reculai jusqu'à un siège et m'assis sans le quitter des yeux.

*

Si l'on ne jugeait que du résultat, si l'on ne voulait voir que les bénéfices de la manœuvre qui m'avait séparé de ma fille, je devais admettre que l'objectif était atteint : tout semblait lui sourire professionnellement parlant.

Difficile de ne pas tomber sur elle à la télévision ou dans les magazines, de ne pas l'entendre à la radio lorsque j'étais coincé dans un embouteillage, de ne pas entendre sa voix, de ne pas recevoir ce coup en pleine poitrine. On la voyait partout. Elle était à l'affiche d'un film tourné l'été précédent par un ancien de la Femis passé par les *Cahiers* et les éloges pleuvaient sur elle depuis son retour d'Australie. Son carnet de bal se remplissait. Faire parler de soi, de quelque manière que ce fût, semblait être la bonne méthode.

Quelquefois, lorsque Roger était dans le champ, on ne pouvait ignorer son air satisfait, nonchalant – encore moins son expression gourmande lorsqu'il annonçait, en prenant son temps, que les rumeurs de séparation, concernant leur couple, n'avaient jamais été aussi peu fondées.

Sans doute était-ce la vérité. Au bout du compte, leur équipe restait soudée. Leur équipe résistait aux différentes entorses qu'Alice lui infligeait – impunément. Ils formaient un attelage étonnant. À chaque fois, c'était la même chose, je ne pouvais m'empêcher de me souvenir du temps où ils peinaient à ramper hors du lit, où ils se sentaient trop faibles pour grimper sur un escabeau afin de changer une ampoule – ou simplement refermer le hublot de la machine à laver –, et il fallait les voir, aujourd'hui, triomphants, aimables, décontractés, récoltant ce qu'ils avaient semé – en passant sur mon corps, mais cette génération nous haïssait, il fallait s'y résoudre.

Roger pouvait se montrer sans aucun état d'âme et Alice d'une détermination sans failles. « J'ai sauvé la vie de ce type, déclarai-je à Judith en désignant Roger de la pointe de mon couteau. Deux fois. Pas une fois, deux fois. Un soir, je l'ai empêché d'avaler sa langue. Et un autre soir j'ai traversé la ville avec le pied au plancher pour le transporter aux urgences. Le sinistre salopard. Aucune pitié. Il n'a eu aucune pitié. Je les ai nourris, je les ai hébergés. Mais pour eux, je n'étais qu'un type qui les nourrissait et qui les hébergeait. »

Je repoussai mon assiette, l'appétit coupé. « Si ça ne t'ennuie pas, je vais zapper, fis-je en me levant pour saisir la télécommande.

– Eh bien maintenant, je sais, lâcha-t-elle dans mon dos. Je sais que tu ne reviendras pas sur ta position. Je n'en étais pas absolument sûre. Maintenant, je le sais.

— Tu as cru que je plaisantais ?

— J'ai cru que tu finirais par te radoucir. Des gens très bien finissent par se radoucir.

— Tant mieux pour eux. Grand bien leur fasse.

Formidable. Je les admire beaucoup. » Je retournai m'asseoir devant elle. « Je t'en prie. On ne peut rien y faire. Ne me rends pas les choses encore plus dures. Pense un peu à moi, s'il te plaît. Je suis la victime dans cette affaire. Essaie de ne pas l'oublier. Ne nous rends pas la vie encore plus difficile qu'elle ne l'est. Je ne peux rien y faire, tu m'entends. Quelque chose en moi *refuse*. »

Elle alluma une cigarette. Je changeai de conversation. « As-tu entendu parler de cette maison à cinq cents millions d'euros qu'un Russe vient de se payer sur la Côte? C'est exagéré, non? »

Elle se leva en emportant nos couverts. Je baissai la tête. Là où il fallait de l'huile, je mettais du sable.

Je la rejoignis dans la cuisine et lui demandai de m'excuser. Puis, d'un pas raide, je retournai travailler.

*

Il y eut un coup de vent dans la nuit. Quelques nuages bas, entassés sombrement à l'horizon, auraient dû nous avertir, de même que la chute du baromètre, mais ni elle ni moi n'y avions pris garde. Je sortis d'un bond de ma rêverie quand un volet claqua violemment dans mon dos. J'étais au beau milieu d'une phrase. Je me levai néanmoins et l'empoignai pour le fixer à son crochet. Tout à coup, le vent hurlait. Les sautes d'humeur de ce pays n'étaient plus à présenter. Ma pendule indiquait une heure du matin.

Je descendis. Le salon était traversé par un courant d'air entre la cheminée et une porte-fenêtre mal fermée. Dehors, le parasol était sur le point de s'envoler. Je sortis et faillis m'envoler avec. Je dus m'aplatir sur le sol avec lui et le nouer en vitesse tandis que de méchantes bourrasques ronflaient alentour et passaient au-dessus de ma tête, m'échevelaient. Les chaises avaient roulé dans un massif d'hortensias, la table tremblait sur ses pieds, je voyais mes iris couchés par terre, des éclairs dans le lointain, en direction des montagnes qui s'illuminaient un bref instant. On n'entendait aucun coup de tonnerre, cependant. Il ne pleuvait pas. Les gouttes provenaient de l'océan, l'écume volait.

Je me relevai pour attraper les chaises. Judith me rejoignit. Je lui fis signe de s'occuper de la table tandis que le vent redoublait. Tenir debout relevait de l'exploit.

En dix ans, le vent nous avait emporté une table et trois parasols. Quelques douzaines de chaises.

Après que nous eûmes arrimé le mobilier, le vent se mit à faiblir. Il fut un temps où nous aurions goûté le sel de la plaisanterie, où notre sens de l'humour l'aurait facilement emporté, mais nous baissâmes les yeux et soupirâmes en silence. Puis nous rentrâmes.

« Tu travailles tard, ces derniers temps », me dit-elle.

J'étais encore étourdi, saoulé. « Oui ? Tu trouves ?

— Remarque, ce n'est pas un reproche. C'est signe que tout va bien, non ?

— On ne peut pas dire ça. On ne peut *jamais* dire ça. Tu le sais. Mais bon, admettons. Je peux seulement t'affirmer une chose : j'avance. Page après page, cahin-caha. J'avance. Jour après jour. Que peut-on espérer de mieux ? N'est-ce pas déjà un miracle en soi ? »

Elle était ébouriffée. J'admirais le détachement avec lequel elle s'était installée dans l'adultère, ce visage imperturbable qu'elle opposait à toute tentative d'y voir plus clair dans son jeu.

« Je suis contente pour toi. J'ai l'impression qu'il s'agit d'une bonne nouvelle. »

J'acquiesçai vaguement. Puis il plut avec force durant cinq minutes.

« Le pardon existe-t-il dans ta religion ? demanda-t-elle en observant les rideaux de pluie fumante qui dansaient dans le jardin, se disloquaient contre les baies.

— Ça dépend pour quoi. Vivre ensemble signifie partager certaines valeurs. S'entendre sur les points au-delà desquels on ne peut pas aller. Dans ce cadre, le pardon existe. »

À ces mots je sortis car l'orage avait cessé. Un vent doux se mit à souffler, avec la force d'un séchoir à cheveux.

« Tu es souvent partie, quand je me lève, le matin, dis-je.

— Mais je m'endors avant toi.

176

— C'est vrai. Mais je ne peux pas travailler le matin, tu le sais. Le matin, c'est bon pour les jeunes pères de famille. »

À présent la lune brillait et le ciel scintillait comme si rien ne s'était passé.

« Je comprends que l'on soit allergique à ce climat », fis-je en examinant mes mocassins enfoncés dans la boue. L'air s'emplissait à nouveau de l'odeur des tamaris, du parfum des chèvrefeuilles.

« En quel honneur t'intéresses-tu de nouveau à moi ? fit-elle dans la pénombre.

— Que racontes-tu ? ricanai-je.

— Je pensais que nous savions à quoi nous en tenir à ce sujet. Je pensais que nous avions identifié le problème depuis longtemps. »

Je me raclai la gorge. J'avais agi avec tant de stupidité envers cette femme que je ne trouvais pas toujours les mots qui m'auraient permis de retourner la conversation. « Écrire ce bouquin m'angoisse, finis-je par lui confier. J'avais oublié comment c'était. Ne fais pas attention. Tu sais, il y a deux possibilités : soit c'est moi qui viens à bout de lui, soit c'est l'inverse. Que tu me trouves un peu bizarre ne me surprend pas. Tu sais que parfois, sans deux tétrazépam, je ne ferme pas l'œil de la nuit tellement je suis tendu. Mais je ne me plains pas. Je sais que certains ont des migraines ophtalmiques ou de l'eczéma, par-dessus le marché.

— Francis, je suis extrêmement sérieuse.

— Oh Seigneur Dieu !... » soupirai-je entre mes

dents, le front bas, les poings serrés, l'âme en lambeaux.

*

Lorsque j'avais décidé de présenter Alice et Roger à Judith, j'avais organisé un de ces repas dont j'ai le secret, où tout va de travers.

Nous étions toujours dans les cartons. Elle m'avait vendu cette maison, nous avions couché ensemble six ou sept fois et j'étais son écrivain favori, ce qui en faisait une candidate relativement sérieuse à la succession de Johanna – avant que je ne devienne totalement fou – mais encore fallait-il que ma fille et son parfait énergumène ne la fissent pas s'enfuir sur-le-champ.

J'avais décidé de préparer un navarin d'agneau mais je ne trouvais pas la cocotte. Je demandai de l'aide pour me sortir de la montagne de cartons – les affaires de Johanna et d'Olga nous avaient suivis, ajoutant la douleur à la confusion car les types avaient tout mélangé, sans distinction, et les choses remontaient brutalement à la surface – mais on ne me répondit pas.

En soi, cela n'avait rien de singulier, car ils étaient si souvent défoncés qu'ils dormaient la plupart du temps mais, sans cette cocotte, je ne pouvais rien entreprendre d'ambitieux alors que je devais me surpasser.

Quand le soir arriva, j'étais défait.

J'avais bu une demi-bouteille de vin blanc et je réfléchissais à l'éventualité de me resservir car le côté hasardeux et l'énormité de l'entreprise grandissaient à mesure que le ciel s'obscurcissait, que l'horizon chatoyait faiblement au-dessus de l'océan assombri par le crépuscule. Huit heures sonnaient. Non seulement je me demandais comment j'avais pu organiser une telle rencontre, la gageure que cela représentait, mais j'étais également abasourdi par le fait que j'officialisais ainsi notre relation – ce qui m'avait étrangement et furieusement échappé jusque-là et que je considérais maintenant comme une trahison supplémentaire vis-à-vis de Johanna. J'en avais les larmes aux yeux.

J'espérais que tout allait s'effondrer sur moi et m'ensevelir. Deux années s'étaient presque écoulées mais je ne parvenais pas à m'ôter de l'esprit que la dernière image qu'elle avait emportée de moi, et sur laquelle je n'avais plus le moindre pouvoir, était celle d'un homme qui l'avait trahie. Et voilà que je mettais une autre femme à sa place.

Avec un peu de chance, Roger allait sortir une seringue au milieu du repas ou avaler une boîte entière de médicaments sous l'œil effaré de Judith. Je n'étais pas non plus entièrement satisfait de mon navarin – non que je n'eusse fini par mettre la main sur le précieux ustensile de fonte émaillée, mais ni mes navets ni mes carottes n'avaient caramélisé comme je le souhaitais, pour quelque obscure raison qu'il m'importait peu de tirer au clair.

J'avais acheté cette maison que je ne connaissais

pas, et je me demandais si elle allait nous convenir. Je n'en savais fichtre rien. J'avais dressé la table, allumé quelques bougies. Une ambiance parfaitement sinistre.

Lorsque le carillon retentit, j'aurais souhaité pouvoir me tirer une balle dans la tête ou disparaître à tout jamais. Je me jetai un dernier coup d'œil dans le miroir de l'entrée avant d'ouvrir. Je m'effrayai moi-même.

« Hello », fis-je. Elle me répondit par une étreinte fougueuse que je vis à peine venir, au milieu des portemanteaux. J'aurais dû m'y attendre. Avec une frayeur rétrospective, j'imaginai la réaction d'Alice me découvrant en plein commerce avec une autre femme que Johanna et j'en trébuchai en la conduisant dans le dédale de nos cartons que les déménageurs avaient empilés en d'étroits canyons, en d'instables tours, en de sinueuses chandelles.

Je l'installai sur un canapé dont j'avais hérité de ma tante, une vraie Basque, amie des Arts et des Lettres – canapé qu'il me tardait d'ailleurs de faire monter dans mon bureau –, puis m'empressai de remplir nos verres. Je souriais, mais au fond de moi je grimaçais avec amertume car je savais vers quel immense gâchis nous nous dirigions tout droit.

Je la trouvais cruellement séduisante, ce soir-là. Or, je ne l'imaginais que trop, affligée, estomaquée, stupéfaite à l'issue de ce repas de famille que je lui avais si habilement concocté – compagnie et cuisine détestables.

« Vous vous entendez bien, cette maison et toi ?

— Parfaitement bien, répondis-je.

— Francis, je suis contente.

— Judith, moi aussi.

— Où sont-ils ? Je suis impatiente. »

Je clignai des paupières pour la rassurer, déjà passablement ivre – mieux valait ne pas être tout à fait à jeun lorsqu'il fallait assister à sa propre déroute. Je lui fis signe de m'attendre et me dirigeai vers l'escalier que j'empruntai sans hésitation en saisissant la rampe.

Dormaient-ils ? Allaient-ils m'annoncer qu'ils avaient oublié notre soirée ou refusaient-ils tout simplement d'y assister sous prétexte que rien ne les obligeait à faire la connaissance de *la bonne femme de l'agence* comme ils n'allaient pas manquer de la baptiser ?

Je frappai à la porte de leur chambre sans le moindre espoir, avec une sorte de joie malsaine, mais ils sortirent presque aussitôt et partirent devant moi – je n'étais pas en état de leur courir après. À l'aune de l'attirance que j'éprouvais pour cette femme, je m'étais cru autorisé à organiser une telle rencontre et j'allais connaître à présent le prix de mon erreur. L'impudence avait un prix. L'arrogance avait un prix. La naïveté avait un prix. Je sautai involontairement la dernière marche et manquai de m'étaler de tout mon long.

Je les retrouvai dans la cuisine après avoir bu un grand verre de vin car tout allait sans doute se passer dans la cuisine, la rencontre définitive, les choses

désagréables, les réflexions acides, les choses bles-
santes, etc.

Ils étaient penchés tous les trois au-dessus de mon
navarin comme s'il s'agissait d'un berceau – en dehors
du fait que celui-ci fumait. La scène me parut étrange.
Alice avait encore la cuiller de bois à la main. Roger
tenait le couvercle. Judith se tourna vers moi – je crus
qu'elle allait applaudir. « Wao ! » fit-elle.

Je remarquai alors que Roger portait une chemise
propre et qu'il avait l'air d'une autre personne. Qu'Alice
avait relevé ses cheveux d'une façon élégante. Je me
caressai le menton. Je reculai d'un pas. « Papa, tu
déchires », me fit Alice. Roger approuva, levant un pouce
dans ma direction.

En dehors de moi, tout le monde avait faim.

Je ricanai tout haut durant le repas, mais je ne parvins pas à casser l'ambiance.

« Je pense que nous allons nous marier prochaine-
ment », entendis-je au moment du dessert. Je levai les
yeux sur Alice. « Mais qu'est-ce que c'est que cette
histoire ? marmonnai-je avec difficulté. Je n'étais pas
au courant. Vous allez quoi ?... Vous marier ?... »

Sans attendre la réponse, je me levai de table en
emportant mon verre et j'allai m'asseoir à l'écart. Je
ruminai.

« Eh bien, peut-être que vous n'allez pas être les
seuls, fis-je. Très bien. Peut-être que vous n'allez pas
être les seuls, attendez. Peut-être que ça vaut mieux
ainsi. »

Judith éclata de rire. Elle prétendit que j'étais très drôle. J'étais d'ailleurs, de son point de vue, l'un des écrivains les plus drôles du monde.

Le lendemain, elle me rendit visite, je la fis asseoir, et elle me déclara qu'elle avait passé une très bonne soirée.

Je souffrais d'une violente migraine depuis mon réveil, mais j'accueillis la nouvelle en ébauchant un sourire. Puis vint le moment où, du bout des lèvres, elle aborda le sujet de cette annonce que j'avais exprimée la veille, nous concernant, ce qu'il y avait de sérieux dans tout ça. Et si, le cas échéant, cela devait poser un problème à Alice.

*

Désormais, A.M. était sous morphine et ne sortait plus guère de chez elle.

La plupart du temps, lorsqu'il ne travaillait pas, Jérémie restait dehors, sous le porche, en compagnie de sa chienne et de son lecteur et il ne rentrait qu'à la nuit. Je savais qu'il n'adressait pour ainsi dire jamais la parole à sa mère, s'assurait simplement qu'elle ne manquait de rien, lui apportait un verre d'eau, éteignait les lumières, puis montait directement dans sa chambre avec sa chienne sur les talons sans même avoir un instant ôté les écouteurs de ses oreilles.

Quand je l'observais, je voyais encore tant de colère bouillir à l'intérieur de ce garçon que je me demandais chaque fois si le traitement qu'on lui administrait servait à quelque chose. « Strictement à rien, me confirmait A.M. Heureusement qu'il a cette chienne avec lui. Heureusement que cette chienne est là, vous savez. »

Désormais, elle restait en chaussons et traînait au rez-de-chaussée en compagnie de différentes auxiliaires de soin et aides à domicile qui se succédaient au cours de la journée et la forçaient à marcher – sauf qu'elle n'avait plus d'endroit où aller, tenait-elle à préciser afin qu'on la réprimandât gentiment pour ses sinistres déclarations.

« Il met des gants, vous savez.

— Il met des gants?

— Pour me toucher. Il met des gants pour me toucher. »

Elle disait ce genre de choses, terribles, en regardant dans le vague et sur un ton égal. Si Jérémie était là, elle se postait dans l'ombre, près de la fenêtre, et l'observait à la dérobée tout en s'interrogeant, d'une voix étonnamment douce, sur l'ingratitude absolue de ce fils qu'elle avait mis au monde et qui mettait des gants pour la toucher.

Le printemps était déjà bien entamé et le marché immobilier espagnol, en pleine effervescence, accaparait fort Judith dont les messages m'avertissant qu'une importante affaire la retenait de l'autre côté des Pyrénées se multipliaient. Il commençait à faire chaud et je ne la voyais emporter que des tenues légères, je la regardais partir le matin sans être sûr de la revoir le soir, elle tendait son bras à la portière et je levais la main avant de retourner à mon roman.

Combien d'écrivains étaient retournés à leur roman plutôt que se lancer à la poursuite de leur femme ? Les meilleurs, sans aucun doute. Les extralucides. Les grands maîtres.

*

« Je double la somme. Sacré nom, ne me laisse pas tomber, tu veux ! Jérémie. Jérémie, regarde-moi. Quelques heures par jour. À tes moments perdus, si tu veux, mais il faut que je sache, tu comprends. L'incertitude me ronge, tu sais. Ça ne peut pas continuer ainsi. L'été arrive. Je vais devenir fou, tu comprends. Je suis en train d'écrire un roman. Je ne peux pas m'interrompre à chaque instant pour penser à mes problèmes personnels. Cette fois, ma réputation est en jeu. Je suis en train de jouer le tout pour le tout. D'ailleurs, si ça ne marche pas, j'arrête. Je n'écrirai plus une seule ligne. Je te le dis. Le retour sur investissement est trop faible. En tout cas, une chose est sûre, je ne peux pas me permettre de rater mon come-back, Jérémie. Je dois garder les idées claires. Oh, je sais bien ce que tu penses. Que je n'ai pas l'air d'exercer une profession trop pénible. Tu n'es pas le seul, figure-toi. Mais je ne me plains pas. M'as-tu entendu me plaindre ? Je sais que beaucoup d'hommes sont debout dès l'aube, je sais que beaucoup d'hommes sont exploités par leur patron, je sais tout ça. J'ai conscience de tout ça. Je sais que des hommes voient leurs champs ravagés, leurs maisons disparaître dans un nuage de fumée, leurs écoles s'écrouler tandis qu'en apparence je reste assis à contempler le ciel comme un benêt. Ha! ha! J'aimerais qu'écrire soit aussi simple que la couture, j'aimerais qu'écrire soit aussi facile que ça en a l'air. Eh bien non, justement. Ne crois pas ça. Ne crois pas que ça tombe du ciel. Je dois y consacrer toute mon attention. Je dois me concentrer au-delà du raisonnable. Je ne peux pas avoir de question qui me taraude l'esprit. Comme le vol infernal d'une abeille autour d'un massif de fleurs. Je ne peux pas, Jérémie. Je ne peux le tolérer, c'est hors de question. Hors de mes capacités. Je dois savoir. Je dois me libérer, me débarrasser de cette obsédante et terrible incertitude, m'entends-tu, même si c'est très désagréable, même si ça ne me fait pas du bien, m'entends-tu, Jérémie? »

*

J'avais compté les jours, maintenant je ne comptais plus rien. L'instant précis où Alice avait cessé d'exister pour moi me semblait à présent si ancien, si lointain, si profondément plongé dans les limbes de ma mémoire, qu'ayant pris racine à l'autre bout d'un océan noir et sans fin il me serait apparu plus distinctement. « Je sais que je ne devrais pas dire ça, mais c'est comme si tu étais morte. Je suis désolé. »

Je raccrochai. Légèrement désarçonné. Elle ne cherchait plus à me parler depuis longtemps – depuis le jour où elle en avait eu assez que je raccroche sans souffler le moindre mot après qu'elle m'eut enjoint de dire quelque chose, n'importe quoi, ce qui était encore trop à mon goût.

J'allai marcher au bord de l'océan, agacé, troublé. Je ne savais pas ce qu'elle voulait car je ne lui avais pas laissé le temps de s'exprimer, mais je m'attendais si peu à son coup de fil que mon vieux et irrésistible réflexe n'avait pas fonctionné. Je lui avais parlé. Sans doute de façon plutôt sèche, mais je n'en avais pas moins échangé quelques mots avec elle et j'avais presque envie de m'essuyer la bouche dans un mouchoir – et Dieu sait comme j'étais dépité que de si frustes images me vinssent aussi facilement à l'esprit, mais Alice déclenchait encore de telles réactions chez moi, toujours brutales et primitives.

Je marchai jusqu'à Hendaye. Je montai dans un train pour revenir. Mes chaussures étaient pleines de sable et mon pantalon était mouillé jusqu'aux genoux, mais je ne savais pas ce que j'avais fabriqué au juste. En tout cas, il me semblait que je n'avais pensé à rien. Je passai ma langue sur mes lèvres pleines de sel. Il flottait dans le wagon un fort goût de tabac froid datant de l'époque où fumer était permis.

187

*

Alice voulait m'annoncer qu'elle était enceinte. Je l'appris le lendemain de la bouche de Judith qui me regarda comme si j'étais un monstre – Judith qui s'efforçait toujours de ne rien comprendre à ce qui me motivait.

« Ce sera un garçon ou une fille ? » demandai-je en bâillant.

Elle me glissa un regard perçant, glacé. J'avais compris depuis longtemps que mon irrémédiable erreur avait été de ne pas vouloir d'enfant. Elle ne me l'avait jamais pardonné. De sorte que nous en étions là aujourd'hui et il ne s'écoulait pas plus d'un jour ou deux sans que nous eussions ce genre de silencieux accrochage. Je pouvais lire, dans chacun des regards qu'elle me lançait, le vide que l'absence d'enfant avait laissé en elle. Malheureusement, mes regrets ne servaient à rien – mes non-regrets ne servaient à rien.

« Ça ne change rien pour moi. Qu'elle soit enceinte ou pas ne change absolument rien pour moi. »

J'excédais Judith plus facilement qu'autrefois. J'aurais aimé savoir comment l'on passait du stade d'écrivain génial à celui d'égocentrique professionnel.

Je ne la revis plus durant quarante-huit heures. Deux matins de suite, j'allai directement à la fenêtre en me réveillant et vérifiai si elle était rentrée, si sa voiture était garée derrière la mienne – ce qui n'était pas le cas – puis je levais les yeux sur une sorte de pluie immo-

188

bile, en suspension, caractéristique ici, et j'apercevais, au travers, les montagnes sombres sous le ciel bas et figé, leur silhouette surgissant entre les langes d'un brouillard évanescent qui flottait sur le Labourd – j'en aurais soupiré d'aise en d'autres circonstances, mais qu'elle eût claqué la porte depuis deux jours me contrariait.

Elle réapparut dans le jardin, avec le retour du soleil – qui n'avait guère brillé durant son absence, de façon un peu absurde. « Ne dis rien ! m'intima-t-elle d'emblée en avançant la main vers ma bouche. Surtout, ne dis rien ! »

Je clignai des yeux. « Même pas *bonjour*? » fis-je.

Sans doute ne s'agissait-il là que d'une micro-rupture, d'un hors-d'œuvre peu épicé comparé à la séparation définitive des êtres et des biens, mais l'échantillon m'avait laissé une impression désagréable.

La qualité de mes relations avec ma fille m'inclinait à davantage de prudence avec ma femme si je ne voulais pas faire le vide autour de moi. La chose m'apparaissait clairement. Or il y avait des nouvelles fraîches, concernant Alice, qu'elle me livra sans attendre.

« Elle aimerait passer quelque temps à la maison. Elle pense accoucher à Bayonne. »

Je finis par lui faire signe que je n'y voyais pas d'inconvénient majeur. Elle ouvrit la bouche mais je posai un doigt sur ses lèvres. « Ne dis rien, déclarai-je. S'il te plaît. Ne dis rien. »

*

Je lui laissai le soin d'avertir Alice que j'étais d'accord pour qu'elle vienne – j'insistai même pour qu'elle le fît –, et cette attitude nouvelle de ma part – conciliation et aménité – m'apporta quelque soulagement, au plan matrimonial, durant les jours qui suivirent.

« Est-ce que je dois surveiller votre femme même lorsqu'elle dîne avec vous ? » ricanait Jérémie.

Certes, cinq ou six dîners de suite avec moi, cela semblait à peine croyable aujourd'hui. Il fallait qu'elle ait sérieusement envie d'avoir du monde autour d'elle, de l'action, des femmes enceintes, des enfants, etc., pour me consacrer autant d'attention.

*

Un homme pouvait parfaitement perdre ses deux femmes et ses deux filles. Cela ne faisait aucun doute pour moi, je ne voulais même pas en parler. Je pensais qu'un obus pouvait tomber exactement à la même place qu'un autre, même si la probabilité était nulle.

*

Quelques jours avant sa mort, le regard d'A.M. changea. Je m'en rendis compte soudain. Je voulus me lever pour prévenir Jérémie, puis je me ravisai.

*

C'était presque une amie qui partait. Sans doute nous étions-nous revus bien trop tard, et dans de pénibles circonstances, mais ces mois passés ensemble, ces problèmes sur lesquels nous nous étions penchés, ces cicatrices dévoilées au fur et à mesure, ces repas pris sur le pouce, ces visites amicales, ces services rendus, ces relations que nous avions pu avoir autrefois, etc., tout cela, et plus encore, avait passablement compté. J'avais fini par oublier qu'elle entretenait une relation avec une femme lorsque j'étais allé la trouver pour enquêter sur la disparition d'Alice. Chaque vie ressemblait à un parcours terrifiant, à une course folle.

J'étais profondément ému et touché par sa fin. J'avais suggéré à Jérémie de prendre un congé de quelques jours – que je me faisais fort de lui obtenir s'il rencontrait un problème – mais il ne jugea pas cette démarche nécessaire et se contenta de son service minimum du soir qu'il effectua en ma présence gênée, sous mon regard incrédule, avec ses affreux gants de silicone.

« La morphine aide beaucoup », déclarait-elle volontiers sans que je parvinsse à savoir si elle parlait de ses douleurs ou de la peine que son fils lui infligeait.

Il commençait à faire chaud lorsqu'elle décida de ne plus se lever. Je me pressai d'aller lui acheter un ventilateur à Castorama avant qu'ils ne soient dévalisés. Le dernier jour, elle n'était plus beaucoup là, mais la veille, lorsque j'actionnai l'appareil pour la première fois, elle poussa un long soupir.

Le dernier jour, je l'éteignis bien vite car elle se plaignit soudain, se recroquevillant, d'un grand froid qui la saisissait. On aurait dit qu'elle avait rétréci, que la peau de son visage n'était plus que l'enveloppe translucide d'une chrysalide un peu maussade, que ses yeux étaient devenus noirs, fuyaient.

Relevant la tête, je vis qu'il était sur le seuil et qu'il observait la scène. De loin.

Je lui fis signe d'approcher, tâchant de lui faire comprendre que s'il désirait recueillir le dernier souffle de sa mère, il ne devait pas remettre plus longtemps. Mais il croisa mon regard un instant puis tourna les talons.

Sidéré, je me levai d'un bond, renversai bruyamment ma chaise, traversai le salon puis l'entrée en quelques enjambées, mais le bougre était déjà loin, galopant comme une fusée avec sa chienne au milieu des pins et de la bruyère. Je retournai m'asseoir. « Je suis là », fis-je en lui caressant l'épaule, mais elle était morte.

Je retournai dehors, dans l'ardente lumière de l'après-midi. Je refermai la moustiquaire derrière moi.

*

J'entendis les premiers grillons de l'été au cimetière, tandis que le prêtre ajoutait quelques mots à la suite d'un passage de l'Évangile qu'il avait lu dans l'air chaud. Je m'étais occupé de tout. Des papiers administratifs. Des pompes funèbres. De l'église. J'avais été contraint d'abandonner mon roman durant deux jours entiers – ce qui paraît peu de chose aux yeux du profane mais parle très clairement à celui qui fait ce métier. Et tout cela m'avait tué. Tout cela m'avait fatalement rappelé des heures sombres. De m'être occupé de cet enterrement de A à Z.

Impossible de mettre la main sur Jérémie. J'avais dû choisir le cercueil moi-même, choisir des vêtements dans ses tiroirs, choisir les fleurs, choisir la pierre, etc., parce qu'on ne trouvait pas son fils. Ahurissant.

Je ne pouvais pas concevoir tant d'indifférence. Je pensais que s'il avait épousé Alice, ils auraient formé un fameux couple – ma vie avait-elle pesé davantage entre les mains d'Alice? Assurément non. Pas un gramme de plus.

*

La photo avait été prise un peu après 68. J'avais les cheveux longs et portais des pantalons pattes-d'éléphant. Je la trouvai dans un tiroir de sa commode – choisissant son dernier corsage, les quelques bijoux qu'elle emporterait dans l'au-delà. Je ne connaissais pas l'existence de ce cliché dont les couleurs avaient pâli. Durant un instant, je me demandai comment il se faisait qu'une photo de moi fût en sa possession.

*

Je ne cessai de jeter de furtifs coups d'œil alentour. On descendit le corps. Je commençai à désespérer. Je m'avançai pour jeter ma poignée de terre, puis je reculai. Je l'aperçus à cet instant, dans l'ombre d'un if.

Aussitôt, je me courbai et m'éloignai pour le prendre à revers. Je le coinçai. Je levai le bras et le frappai du plat de la main. Je fis pleuvoir sur lui, sur sa tête, sur ses bras, sur son dos, une avalanche de claques magistrales contre lesquelles il se protégeait à peine et dont certaines le firent chanceler – comme celle qui l'atteignit à l'oreille et devait le rendre sourd, de ce côté, durant un bon moment. Sans lui dire quoi que ce soit. Sans faire le moindre commentaire. Sans relâche. Je m'abattais sur lui comme un moulin à vent.

Pour finir, on me maîtrisa, on me plaqua au sol – ils s'entraînaient dur, dans ce pays. Je vis un ciel bleu, d'innocents et lointains cumulus épinglés au firmament, puis le visage de Judith se pencha vers moi. Elle me caressa la joue et me proposa sa bouteille d'Évian.

*

Toute cette histoire – cet invraisemblable et tragique enchaînement des faits, absolument saignant à souhait – refit surface un an plus tard, au cours d'un repas chez des amis dont l'un croyait savoir que Jérémie était de retour en ville.

Était-ce possible ? Espérait-il recommencer avec ma femme ? Allait-il une nouvelle fois se flinguer sous son nez s'il n'obtenait pas ce qu'il voulait ? Je remarquai que tous les yeux étaient braqués sur moi.

« Est-ce que Judith est au courant ? » demandai-je.

Il semblait qu'elle ne l'était pas. Le même avait croisé Judith la veille, sortant de chez elle – nous n'habitions plus sous le même toit et ne nous parlions guère –, et il n'avait rien remarqué dans son comportement qui permît d'en douter. « D'une manière ou d'une autre, elle finira par l'apprendre, déclara-t-il. Je crois qu'il a décidé de mettre sa maison en vente. » Les nouvelles allaient si vite, dans cette ville, que l'air vibrait toujours d'un léger frémissement.

De retour chez moi, je restai assis sur mon lit, dans le noir. Puis le bébé se mit à pleurer et je m'allongeai.

*

Lorsque je me réveillai, le lendemain, il pleurait encore – j'espérais qu'il avait dormi entre-temps. Je sortis pour prendre le journal, dans une éblouissante lumière de juin.

« Jérémie est de retour », annonçai-je en entrant dans la cuisine.

Alice était assise avec son fils dans les bras et les

choses ne semblaient pas aller comme ils le souhai-
taient l'un et l'autre – la brouille avec la baby-sitter,
qui avait claqué la porte au commencement du week-
end, avait subitement catapulté la mère et l'enfant
dans une sorte d'obscurité relationnelle.

Elle leva les yeux vers moi. Je ne savais pas si j'avais
envie de manger des œufs. Ni même si j'avais faim.

« Tu veux des œufs ? lui demandai-je.

— En voilà un qui a de la suite dans les idées », rica-
na-t-elle.

Je secouai la tête, cassai quelques œufs dans une
poêle. « Je pense à Judith. Je me dis qu'elle n'a pas
mérité tout ça.

— Un peu quand même, un peu quand même.

— Ce garçon est à moitié fou, elle aurait pu s'en
apercevoir, non ? Ça sautait aux yeux. Tu crois que
j'ai été étonné ? Tu crois que j'ai été étonné de ce qu'il
a fait ? Tu crois qu'un type qui braque une station-
service avec un fusil de chasse parfaitement chargé a
toutes ses cases qui fonctionnent ?

— Écoute. Il ne l'a pas menacée.

— Entièrement d'accord. Il ne l'a pas obligée. Je
suis entièrement d'accord. Ça n'empêche pas qu'il est
à moitié fou. Tu as vu ce qu'il a fait ? Dommage qu'il
se soit loupé. »

Je montai dans mon bureau et m'y enfermai. Je
restai assis devant le téléphone – un vieux modèle à fil
en ébonite que j'utilisais afin de me préserver du cancer
du cerveau que je redoutais comme la peste.

J'appelai Judith, pour finir. Alors que la sonnerie se déclenchait à l'autre bout, je retins mon souffle et tournai mon regard vers la fenêtre où le ciel se superposait à l'océan qui se superposait aux dunes où poussaient de longues herbes en forme de plumeaux ondulant au vent.

Je m'attendais à ce qu'elle reste sans voix et ça n'a pas manqué lorsque je lui signifiai la raison de mon appel.

« Tu es toujours là ?

— C'est aimable à toi de me prévenir, Francis.

— Si je peux faire quelque chose, n'hésite pas.

— Ça va. Ne t'inquiète pas pour moi.

— Les affaires ? Est-ce que ça marche ?

— Moyen. Félicitations pour ton livre.

— Oui, tu ne peux pas savoir le bien que ça m'a fait. Ça tombait à pic, bien sûr, comme tu peux l'imaginer.

— Je sais, Francis. Je m'en doute. Je m'excuse. Je suis profondément désolée.

— Ne dis pas de bêtises. Écoute. Fais attention à toi. C'est tout ce que je demande. Je veux que tu m'appelles si quelque chose ne va pas. »

J'avais la main moite et l'oreille brûlante lorsque je raccrochai – et fixai le combiné avec des sentiments mêlés.

Le soir venu, après une séance de travail particulièrement pénible en raison d'événements qui me chagrinaient, je retrouvai Alice, libérée de son bébé mais la

197

mine défaite, visiblement perdue dans ses pensées et soucis divers – à moins qu'elle ne méditât sur la douleur, en tant qu'actrice.

J'allai inspecter le frigo. Je proposai de faire cuire des œufs. Le soir tombait, transformant l'horizon en brasier étincelant. Personnellement, j'avais pu voir le rayon vert à différentes reprises – et la dernière fois à la minute où j'avais mis le point final à mon roman, ce que j'avais jugé de bon augure.

« Ou alors, commandons une pizza, fis-je, c'est encore le plus simple. »

Puis je m'installai dans un fauteuil avec le supplément livres et me mis très vite à bouillir intérieurement, puis à pester intérieurement – ce mécanisme se déclenchait chaque semaine, chaque page étant source de colère, d'incrédulité, d'abattement, de dégoût, chaque page ayant mérité cent fois de terminer sa course au panier, n'eussent été, çà et là, par miracle, quelques auteurs vraiment dignes d'intérêt, puissants, novateurs, coriaces, qui valaient le déplacement à eux seuls.

L'obscurité gagnant, j'allumai quelques lampes. Elle rentra, après avoir passé d'interminables coups de téléphone. Un bref instant, elle se figea en tendant l'oreille, légèrement effrayée, mais le bébé ne pleurait pas – le cri d'un faucon ou de quelque oiseau de nuit ululant au loin se trouvait sans doute à l'origine de son inquiétude.

« Écoute. J'ai un problème de baby-sitter, fit-elle en prenant un air renfrogné.

— Oui, je sais, je suis au courant, fis-je en survolant la liste des meilleures ventes.

— J'ai besoin de sortir une heure. Est-ce que je peux m'absenter une heure ? »

Je lui jetai un coup d'œil en fronçant les sourcils.

« Ça ne fait pas partie de notre entente.

— Je ne t'ai pas encore demandé une seule chose. Depuis que je suis là.

— C'est ce que nous avons décidé. C'est une des règles que nous avons établies. »

Elle alluma nerveusement une cigarette. J'examinai la une du journal où s'étirait une colonne de tanks en marche, dans un nuage de poussière. « Céline s'est trompé, déclarai-je. Ce ne sont pas les Chinois qui vont nous envahir. »

*

La maison de Jérémie n'était fermée que depuis un an, mais elle avait un air abandonné. L'impression venait avant tout du jardin, envahi de bois mort, de débris et de branchages abattus par les vents violents qui avaient balayé la côte au cours des mois écoulés, par la grêle, par les orages, par la foudre, ou encore par le gel qui avait fusillé le bougainvillée que j'avais planté lorsque nous avions emménagé.

Devant le porche, les massifs d'hortensias avaient

décuplé mais s'étaient décolorés. À présent, la peinture des volets était totalement écaillée – et laissait apparaître un bois couleur de cendre.

La pancarte annonçant qu'elle était à vendre donnait le nom et le numéro de l'agence de Judith.

Je remis le contact et démarrai.

*

Privés de l'aide de Roger et de Judith en ces temps pénibles – sans même parler des forces chaotiques et déprimantes qui orchestraient la marche ivre du monde –, la garde des jumelles, quand elle nous revenait, virait presque au cauchemar. J'avais commencé un nouveau livre, ce qui exigeait de ma part une ferme discipline, de longues périodes de travail dans le silence, le calme, la concentration, la solitude, etc., soit précisément le contraire de ce que les filles me réservaient.

Le problème venait en grande partie des baby-sitters qui nous lâchaient sans crier gare pour rejoindre leur fiancé ou commettaient je ne savais quelle faute qui leur valait un renvoi immédiat – telle la dernière en date qui avait transformé le bébé en écrevisse.

Soudain, je devais faire des courses, les emmener chez Leclerc, les intéresser à des choses, leur lire des livres de la veine du *Journal de Bridget Jones* – « Pourquoi se casser la tête ? » me demandais-je –, courir à Bayonne pour les fournir en DVD et tee-shirts Petit-Bateau.

Mes journées étaient bouleversées d'une manière ou d'une autre. Ce n'était pas ce que j'étais convenu avec Alice. Elle pouvait s'installer à la maison. Point. Rien d'autre. S'installer à la maison, point. À condition de me laisser tranquille. Rien d'autre.

« Eh bien oui, je le sais. Et que veux-tu que j'y fasse ? Ce sont tes petites-filles, tu sais. Il ne fallait pas me donner deux bras, il fallait m'en donner quatre. »

Le bébé gigotait sur ses genoux, prêt à pousser de nouveaux hurlements. Ses deux sœurs attendaient dans mon dos pour m'entraîner vers les boutiques du centre où elles pourraient trouver un maillot.

Je me penchai pour lui souffler à l'oreille : « Appelle Roger. Explique-lui la situation. Demande-lui de venir les reprendre pour cette fois.

— Écoute. Ne te mêle pas de ça. Laisse Judith se débrouiller. Ne sois pas ridicule.

— Je n'ai pas l'esprit à tenir une garderie en ce moment. Ça ne se voit pas ? »

Je terminai la journée aux Nouvelles Galeries – elles avaient oublié leur shampoing et voulaient choisir un produit solaire.

Le soir tombait. Judith fermait l'agence – genoux pliés, tenant la poignée d'une main et de l'autre verrouillant une serrure au ras du sol.

Les filles lui sautèrent au cou. Pour ma part, je profitai de leurs embrassades pour l'examiner. Elle avait l'air soucieux.

« Tu as tort de faire ça, dis-je.

— C'est mon métier de vendre des maisons. C'est comme ça que je gagne ma vie. »

Nous descendîmes vers le casino et marchâmes le long de l'océan, croisant quelques surfeurs, parmi les plus acharnés sans doute, que la nuit renvoyait à leur minuscule minibus équipé d'un lit, d'un réchaud à gaz, et d'un râtelier à planches.

Judith avançait tête baissée, comme une automate. J'avais envie de lui dire que sa décision m'exaspérait. Qu'aucune réflexion sérieuse ne pouvait aboutir à la conclusion qu'elle avait une quelconque raison de revoir Jérémie ou de lui adresser la parole après le tour grand-guignolesque qu'il lui avait réservé en éclaboussant les murs.

Elle hésitait. Ils avaient simplement parlé au téléphone.

« Tu hésites ? Est-ce que j'ai bien compris ? Crois-tu qu'il y ait matière à hésiter ? Est-ce que j'ai bien entendu ? Tu hésites ? Écoute, c'est bien simple. Revois-le et je me lave les mains de ce qui arrivera. Revois-le et tu t'en mordras les doigts. Et tu ne viendras pas dire que je ne te l'ai pas dit. »

Nous nous arrêtâmes devant le marchand de glaces. Je regrettais de ne plus vivre avec elle. Lorsque j'y réfléchissais, je pensais qu'elle m'avait fait ce que moi-même j'avais fait à Johanna et qu'une sorte de justice naturelle s'établissait ainsi, susceptible de remettre les compteurs à zéro, mais il n'en était rien. Les deux choses n'étaient pas comparables. Je n'aurais pas su expliquer pourquoi, mais les deux choses n'étaient pas comparables.

Je tournai mon regard vers l'avenue de l'Impératrice. « J'aimerais savoir pour quelle raison la coupole de Saint-Alexandre-Nevsky est passée du bleu au gris, fis-je pour changer de conversation. Personne ne gueule ? »

*

Moins de quinze jours plus tard, la maison n'était pas vendue mais elle couchait de nouveau avec Jérémie. La dernière chose à laquelle j'aurais pu songer.

*

Deux ou trois voix s'étaient élevées pour me reprocher d'avoir créé les conditions de leur rencontre en payant Jérémie pour qu'il la suive. Mais bien sûr. Mais voyons.

*

Alice la première. M'envahir ne lui suffisait pas. Son propre naufrage ne lui suffisait pas. Je menaçais de lui fendre le crâne si elle ouvrait encore la bouche. Ou même de la flanquer à la porte, mais elle ne pouvait s'empêcher de donner son avis sur la manière dont je traitais ma relation avec ma femme, de me démontrer à quel point je m'y étais mal pris avec elle, à quel point je manquais à présent de hauteur en me mêlant d'une histoire qui ne me concernait plus.

Elle oubliait que son propre mariage avait lui aussi capoté, que ses aventures n'avaient pas eu la saveur espérée – celle dont parlaient les journaux à propos de ses idylles avec tel ou tel sosie de Shia LaBeouf –, elle oubliait qu'elle se sentait un peu perdue, incapable de calmer un nourrisson qui éclatait en larmes dès qu'elle le prenait dans ses bras, elle oubliait qu'elle était là, sous mon toit, dans ma maison, par le fait d'une sorte de miracle après la façon dont elle s'était comportée envers moi.

« Tu as tort de croire que je ne te mettrais pas dehors. Ça ne me causerait aucun problème.

— J'en suis sûre. Maman avait raison. Maman avait raison lorsqu'elle disait que plus on s'enfonçait en toi, plus c'était glacé. »

Je lui attrapai le poignet. « Qu'est-ce que tu racontes ? Je m'entendais parfaitement avec elle. Ne dis pas de telles choses. N'invente pas de telles absurdités. Ne franchis pas la ligne rouge, Alice. »

Je la lâchai – repoussai son bras d'un geste brusque.

« Tu crois que nous ne parlions pas de toi, peut-être ?... » répliqua-t-elle.

Je mis un pied dehors. « Tu crois que ça nous faisait peur que tu sois écrivain ? Tu crois que ça nous impressionnait ? » Je m'éloignai. « Tu crois que nous ne savions pas qui tu étais ? »

Elle ajouta encore quelque chose, mais j'étais déjà loin.

*

Une fois de plus, je marchai jusqu'à Hendaye. Il faisait beau et les plages étaient encore désertes. J'allai dîner à Fontarabie puis me saoulai avec des amis rencontrés sur place. La femme de l'un d'eux garda sa main posée sur ma cuisse durant une bonne partie de la soirée. Son mari voulait savoir de quoi parlait mon prochain livre. Et elle lui répétait : « Oh, écoute, laisse donc Francis avec ça. Tu vois bien que tu l'embêtes. Oh, écoute, laisse donc Francis tranquille avec tes questions. Tu vois bien qu'il ne veut pas te répondre. Oh écoute… » Etc.

*

Lucie-Anne et Anne-Lucie s'étaient servies du maquillage de leur mère. Je levai les yeux de mon écran en entendant les cris qu'Alice poussait. « Cette pauvre fille est à bout de nerfs », me dis-je, retournant à ma besogne et tâchant de retrouver le rythme particulier que je m'efforçais d'imprimer à une phrase qui bloquait le roman tout entier depuis une bonne vingtaine de minutes – j'avais cette habitude, quand ça ne venait pas et pour me terrifier davantage, de déclencher la minuterie de mon portable.

Mais elle criait beaucoup trop fort pour que je puisse assembler la moindre chose.

Certes, toucher au maquillage constituait l'infraction la plus grave que l'on pouvait commettre dans leur petite république, et les fillettes, depuis l'instant où elles avaient ouvert les yeux sur ce monde, en avaient été amplement averties. Lorsque j'arrivai, Alice voulait à présent savoir ce qui leur avait pris et le silence des jumelles, muettes, figées, le cou rentré dans les épaules, les yeux baissés, faisait hurler leur mère de plus belle.

Je restai un instant pour admirer le spectacle, mais les cris me firent m'enfuir aussi sûrement que la tête de certains auteurs – il faut redire à quel point un écrivain ressemble physiquement à son style, combien c'est flagrant.

Quel fou j'avais été de lui ouvrir ma porte, me disais-je, tandis qu'à présent du verre se brisait à l'étage. Voilà ce qui se passait lorsque l'on ne tournait plus depuis six mois.

Je me préparai un bol de fromage blanc à 0 % pour mon quatre-heures. Si ça continuait ainsi, elle n'allait plus avoir de voix et ses filles auraient les tympans perforés.

Je ne savais pas si ma patience tiendrait encore longtemps à ce rythme – Alice ne bénéficiait pas sur mes comptes d'un crédit fantastique ni de mon entière sympathie. J'avais eu pitié de ses ennuis durant un quart de seconde et elle avait pris le premier vol avant que je n'eusse fini d'énoncer le détail de mes strictes conditions. Et au lieu de s'arranger, les choses empiraient. J'avais droit à une sorte de crise de nerfs à l'étage. Je savais que souvent, et même dans la plupart des cas, fonder une famille supposait des cris, du sang, et des larmes, mais allais-je la plaindre pour autant? Allais-je compatir sur la dureté de son sort?

Je grillai quelques toasts que j'enduisis de purée de framboise. Et j'allais croquer dedans lorsque mon regard tomba sur les jumelles, hésitantes, le dos rond, se tenant la main, les yeux fixés sur cette chose que je tenais entre deux doigts, nappée d'un si beau rouge rubis.

Je leur tendis l'assiette afin qu'elles se servent, si elles aimaient ces choses à la framboise. Je reposai celle que je me destinais, avant qu'elles ne me dévorent la main.

Je leur conseillai de se faire oublier jusqu'au soir, de se trouver une occupation sérieuse comme de regarder *Autant en emporte le vent* ou commencer *Raison et sentiments* – que je leur conseillais fort, personnellement –, ce qui me laisserait le temps de travailler encore un peu, après quoi je viendrais voir si elles n'avaient besoin de rien, comme de manger un peu si leur mère oubliait qu'elle avait deux filles à nourrir, elles pouvaient me faire confiance, je n'allais pas les abandonner. *South Park*? Bien sûr qu'elles pouvaient regarder *South Park* – je ne savais même pas de quoi elles voulaient parler.

*

Repassant devant sa chambre, je l'entendis sangloter faiblement. Autrefois, j'aurais frappé à sa porte pour demander si tout allait bien.

*

Elle trouvait que le comportement que j'adoptais vis-à-vis d'elle n'était pas digne d'un père. Elle me dit qu'il y avait bientôt six mois qu'elle était là et qu'en six mois elle avait vu ma froideur à l'œuvre, elle avait pu constater jusqu'où pouvait aller mon indifférence. « C'est encore pire que ce que je craignais », me déclara-t-elle.

Elle avait tort de penser que je le faisais exprès.

« Si c'est pour me punir, tu sais...

— Ce n'est pas pour te punir, Alice. Je n'y peux rien. Ça l'était sans doute un peu, au tout début, mais ça n'a pas duré longtemps. La réanimation n'a pas été possible. Je serais ravi de pouvoir t'annoncer le contraire, vois-tu.

— Je vais te dire. Je ne connais personne qui soit capable d'une telle rancune envers sa propre fille. Absolument personne. »

Je me levai. J'étais beaucoup plus préoccupé par le fait que Judith eût de nouveau ouvert son lit à Jérémie — lequel sortait à peine de sa convalescence et portait désormais le cheveu long, selon mes sources. L'histoire faisait déjà des gorges chaudes.

Je payai une femme un soir, que je ramenai à la maison. Je pensais qu'il s'agissait d'une prostituée mais je compris, chemin faisant – malgré la lenteur que l'alcool imprimait à la marche de mon cerveau –, qu'elle travaillait à la poste centrale.

Je la guidai vaille que vaille jusqu'à mon bureau, traversant la maison noire et silencieuse avec un doigt vaguement posé sur les lèvres et un bras autour de son cou.

J'avais besoin de décompresser. Quand elle n'était pas occupée à pointer mes défauts et mes défaillances, Alice passait quelques coups de fil qui la déprimaient un peu plus à cause de ce métier en dents de scie, abonné aux montagnes russes. Elle menaçait de changer d'agence artistique, de retourner au théâtre, d'intenter un procès à la boîte qui la fournissait en baby-sitters, je l'entendais marcher de long en large, claquer la porte des placards, hennir quelquefois, ou encore taper du pied.

Elle rendait l'ambiance exécrable. Je n'avais pas payé ma place pour être aux premières loges de la vie d'une de ces filles que l'on voyait un peu partout. Je n'avais rien demandé. Qu'importait que j'eusse cédé à la panique de vivre seul ou à une quelconque faiblesse paternelle de l'ordre du réflexe. Je n'avais rien demandé. En tout état de cause.

Elle m'avait interrompu au milieu de l'après-midi

sous prétexte qu'elle manquait subitement de lait pour nourrisson. Raison pour laquelle celui-ci, au même instant, piquait une effroyable crise.

« Tu as l'air d'un homme qui a passé une rude journée », m'avait déclaré cette femme en me rejoignant au bar. Je lui avais offert quelques verres et, lorsque ma tête s'était inclinée vers le comptoir, elle m'avait caressé la nuque.

Je n'allumai pas car un fort clair de lune, cendré, poudreux, infiniment aimable, baignait cette pièce qui me voyait ordinairement souffrir et me tordre les mains.

Je défis mon pantalon et m'en débarrassai avec toutes les difficultés du monde – innocent que j'étais, persuadé que les épreuves de la journée ont une fin, qu'à chaque jour suffit sa peine, etc.

« Je fais des économies pour m'acheter une Vespa », me confia-t-elle en pliant ses affaires sur une chaise.

*

Alice referma si brutalement la porte sur ses talons qu'une carte que j'avais fait encadrer – Hemingway remerciant pour les anchois – se décrocha du mur et brisa son verre en mille morceaux sur le parquet tandis que le claquement de la porte résonnait encore si fort dans ma tête que je restai figé un instant, les yeux fermés, le slip aux genoux, les mains accrochées aux larges hanches de la postière, foudroyé.

Je me retirai de ma partenaire qui resta interloquée

durant un instant mais, de mon côté, l'affaire était pliée, je débandai presque immédiatement.

La femme de la poste remonta sa culotte avec nonchalance. Elle avait d'assez jolies jambes et une peau laiteuse, un petit ventre bombé, mais il était trop tard, j'avais surtout envie de boire un verre afin de recouvrer mes esprits.

*

J'accueillis le serment d'Alice, désormais, de ne plus m'adresser la parole, avec sérénité.

Je savais que je n'allais pas en mourir.

*

N'avais-je pas déjà un pied dans l'au-delà? J'y pensais souvent depuis que nous nous étions séparés, Judith et moi – et l'extrême mauvaise humeur d'Alice, qui en soi n'avait guère d'importance, ajoutait encore à mon dépit. Des quatre femmes qui avaient donné un sens à mon existence, deux étaient mortes, une m'avait quitté, et la dernière refusait de m'adresser la parole.

Je remerciais le Ciel de m'avoir donné la littérature. Je remerciais la littérature de m'avoir donné un travail, d'avoir subvenu aux besoins de ma famille, de m'avoir fait connaître le frisson du succès, de m'avoir châtié, de m'avoir grandi, et je la remerciais aujourd'hui pour la main qu'elle me tendait encore, mais serait-ce suffisant désormais? La littérature allait-elle tenir son rôle encore longtemps, pour ce qui me concernait? Maintenant que j'étais seul, maintenant que la poussière retombait.

Je ne sortais plus guère, d'ailleurs. J'en avais eu vite assez de ces soirées où de bonnes âmes plaçaient en face de moi la célibataire de service – décolletée, rougissante, soit muette, soit totalement hystérique – censée m'aller comme un gant. J'avais eu mon lot de regards compatissants, d'accolades impuissantes, de sourires consternés, de discussions à n'en plus finir sur les raisons qui avaient bien pu pousser Judith dans les bras d'un gamin de vingt-six ans proprement incontrôlable, j'avais fait largement provision d'encouragements, de mots de réconfort, d'invitations à ne pas me gêner et à passer, de jour comme de nuit, si ça n'allait pas, si je broyais du noir. Comment aurais-je pu dire à quel point cette sollicitude m'était insupportable, à quel point elle me blessait?

Il n'était nullement étonnant que je ne me sentisse pas mieux, aujourd'hui. Au fiasco de la veille – très frustrant, très désagréable – venaient s'ajouter les grimaces d'Alice qui feignait de croire que j'étais atteint d'une maladie tropicale – voire vénérienne – et s'écartait de moi sous l'œil perplexe des jumelles.

« On *frappe* à une porte, fis-je après deux jours de silence. On frappe et on attend la permission d'entrer. Quand on a un minimum de savoir-vivre. Non? C'est la bonne manière d'agir. Est-ce que c'est trop te demander? N'ai-je pas droit à un espace *privé* dans cette maison? Je suis chez moi, il me semble. Écoute. Je vais te dire quelque chose. Je n'ai pas envie d'héberger des gens qui me font la gueule. C'est humain, non? »

Avant la colère, la rage pure, son air exprima la surprise, la stupéfaction complète. Puis elle attrapa ses filles par la main et fila aussitôt vers l'étage.

J'attendis quelques minutes en feuilletant un magazine de littérature – ma remarque ayant trait à la ressemblance confondante entre le physique d'un écrivain et son écriture (les mêmes adjectifs leur collaient, exactement) se vérifiait tous les jours (Donnez-moi le portrait d'un écrivain et je vous dirai comment il écrit). Après quoi, comme j'étais sans nouvelles des filles, que je n'entendais plus rien, je décidai d'aller voir.

« Vous faites vos bagages? » demandai-je.

Une demi-douzaine de valises étaient bel et bien ouvertes, ainsi que les fenêtres, les portes des placards, les différents tiroirs qu'elles avaient à leur disposition – que j'avais déjà vidés une fois, qu'elle avait de nouveau remplis –, le désordre paraissait immense.

Assises au bord du lit, ne pipant mot, les jumelles me glissèrent un regard navré tandis que leur mère, me tournant ostensiblement le dos, continuait à plier leurs affaires sans desserrer les dents.

Je décelai cependant une sorte de désarroi dans ses gestes. Il y avait des vêtements partout, on aurait dit le passage d'un typhon.

« Je suis désolé d'avoir une vie sexuelle », dis-je.

Elle s'arrêta net, sans se retourner.

Puis elle se remit lentement à sa tâche.

Je notai que les fillettes me fixaient intensément.

« Réfléchis », lui dis-je.

*

Je la regardai se pendre soudain à mon cou. Pleurer silencieusement contre mon épaule. Je crus que ça n'allait plus finir – la lumière du jour, déclinante, accentuait cette impression. « Je te demande pardon, gémissait-elle, oh pardonne-moi, papa, oh je te demande pardon. » Une sorte de prière ininterrompue, semblant sortir d'un rêve.

Je lui tapotai le dos. Je lui posai une main sur la tête. J'attendis qu'elle eût fini en me laissant distraire par la brise dans les rideaux, par-dessus son épaule, tel un jeune animal invisible et joueur.

*

Un matin gris, de grand vent, je me trouvais dans la cuisine et j'écoutais la radio en grillant des toasts pendant que mon café filtrait et que s'égrenaient les nouvelles du monde, quand soudain, levant les yeux, je tombai sur Jérémie.

Il se tenait de l'autre côté de la route, à l'orée des dunes. Un instant, voyant comme il avait vieilli, comme il s'était ratatiné en un an, était devenu gris, je demeurai pour ainsi dire frappé de stupeur.

Je me reculai de la fenêtre. Je savais qu'il s'était trouvé entre la vie et la mort, que la balle était passée à quelques millimètres du cœur, j'étais bien sûr au courant – qui ne l'était pas ? –, mais je ne m'attendais pas à voir apparaître un spectre, un véritable revenant. Quel choc. Je gageais qu'à présent il n'allait plus chercher querelle à droite et à gauche – à moins d'en choisir de très pâles et de très malingres.

Remis de ma surprise, je me penchai de nouveau pour voir s'il était encore là. Si le vent ne l'avait pas emporté en le prenant pour un épouvantail.

Il était difficile, pour moi, d'aller au-devant de celui qui m'avait pris ma femme – fût-ce la rançon de ma seule négligence –, mais il restait planté en plein vent, les mains enfoncées dans les poches, le cou rentré dans les épaules, les yeux baissés, et je savais qu'il n'en démordrait pas.

J'allai ouvrir ma porte. J'inspectai les alentours d'un coup d'œil. Je lui fis signe. Tandis que je le regardais s'approcher, je sentis toute ma colère, toute ma rancœur se volatiliser, sans explication, comme par magie, et j'imaginai, sans doute assez lourdement, qu'une femme perdant les eaux devait ressentir ce que je ressentais à cet instant.

Nous restâmes un instant face à face, dans les courants d'air, sur le seuil.

« Je voulais vous dire que j'étais là », finit-il par lâcher.

Je marquai un temps. « J'étais au courant. C'est une petite ville. »

Il hocha la tête. Il semblait épuisé.

« Alice habite ici en ce moment, fis-je. Avec les filles.

— Ah.

— Il vaut mieux que tu ne rentres pas.

— Je voulais vous dire…

— Bon sang.

— Écoutez… »

Dans son dos, de longs nuages gris traversaient le ciel d'est en ouest, filant le long des terres espagnoles comme d'étranges et sombres transporteurs de troupes et, cependant, la visibilité était si nette qu'on pouvait voir la côte jusqu'au cap Machichaco.

« Non, toi écoute-moi.

— Je ne voulais pas.

— Mais si.

— Je vous jure que non.

— Bon sang.

— Jamais de la vie.

— Mais si. »

Quelques mouettes qui volaient à contre-vent au-dessus de la route entamèrent une série de loopings en criant.

« Bon sang.

— Vous étiez… »

— Oh bon sang.

— Grâce à vous...

— Tais-toi.

— Suis maudit.

— Arrête. »

J'entendis les jumelles qui descendaient. Nous échangeâmes un dernier regard puis je lui demandai de partir. Il baissa de nouveau la tête, ses cheveux lui tombèrent devant les yeux. Soudain, il chercha à prendre ma main, mais je la retirai à temps.

J'attendis qu'il soit de nouveau sur la route pour lâcher la poignée et retourner vaquer à mes occupations.

*

« C'était qui?

— C'était Jérémie.

— *C'était qui?*

— C'était Jérémie.

— Tu veux rire. J'espère que tu veux rire. Jérémie? Mais qu'est-ce qu'il voulait?

— Eh bien, figure-toi qu'il ne me l'a pas dit. C'était très bizarre. En tout cas, il n'avait pas encore l'air très solide sur ses jambes.

— Tu m'étonnes. »

*

Je ne pouvais pas faire grand-chose pour lui. Je souhaitais que, si sa mère me voyait, du haut de son matelas de nuages blancs, elle ne m'en tînt pas trop rigueur. Je l'espérais. Mais la situation était devenue inextricable depuis que son fils était devenu l'amant de ma femme. Mes sentiments aussi étaient devenus inextricables.

Dès que je quittais le domaine réservé du roman que j'avais en train – auquel il me fallait bien entendu consacrer la plus grande partie de mes forces –, ces âpres sentiments m'envahissaient, me submergeaient, je ne parvenais à m'en défaire qu'avec peine. De sorte que, n'ayant pas suivi les derniers développements de la relation Alice-Roger – je ne savais pas où ils en étaient exactement –, je découvris avec surprise, quelques jours plus tard, qu'il était là, fraîchement débarqué de l'aéroport, l'air vaguement morose, et qu'ils avaient décidé de s'expliquer.

Lorsque je demandai à Alice de quoi il retournait, elle me répondit : « Ne te mêle pas de ça. Ne sois pas antipathique avec lui. Il n'a fait que m'obéir.

— T'obéir ?

— Oui, m'obéir. Désolée.

— Je regrette, fis-je, il n'a pas fait que t'obéir. Il m'a joué cette comédie en me regardant droit dans les yeux, jour après jour, sachant que j'étais mort d'angoisse, m'écoutant gémir et me laissant croire que je t'avais perdue à jamais. T'obéir ? Il peut griller en enfer. »

Elle soupira brièvement. « Dis-moi, mais il faut faire quoi, à la fin, pour ne plus entendre parler de cette histoire ? »

Je haussai les épaules et les gardai en position haute pour lui signifier mon ignorance en la matière, et ma perplexité subséquente, tandis qu'elle faisait demi-tour.

Mon opinion était que chacun se trompait sur chacun. Pas besoin d'être grand clerc. Dès lors, comment aurait-il pu s'avérer simple de vivre ensemble ? Comment aurait-on pu empêcher des nations entières de sombrer dans la folie quand l'ignorance et l'erreur les fondaient ?

*

« Est-ce que tu peux t'assurer qu'il n'a pas d'arme ? Judith ? Tu crois que tu peux faire ça ? Tu crois que tu peux t'en occuper ? Tu crois que tu peux t'arrêter une minute de penser que ces choses n'arrivent qu'aux autres ? Est-ce que tu pourrais ouvrir les yeux une minute ? Est-ce que tu pourrais ouvrir les yeux rien qu'un instant et vérifier qu'il n'a pas encore une foutue arme à sa disposition ? »

Tandis que de mon bureau, assis sur l'accoudoir de l'illustre canapé, regardant par la fenêtre, je prodiguais mes conseils par téléphone à Judith – dont je me demandais si elle était encore capable d'agir avec discernement –, j'observais en même temps Alice et Roger en bas, dans le jardin, occupés à reconsidérer les règles de leur vie commune.

Alice avait décroché un rôle important dans une série française et elle avait aussitôt compris qu'elle devait trouver un arrangement avec Roger si elle voulait poursuivre sa carrière au lieu de passer ses journées à élever des enfants. Je n'entendais pas ce qu'ils disaient, mais celui-ci agitait les bras avec véhémence.

« Comment ai-je pu vous laisser faire ça, toi et Jérémie ? soupirai-je. Comment ai-je pu ne pas m'y opposer physiquement ? Ce n'était pas agir pour ton bien que de me retirer de la course. Je n'aurais pas dû t'écouter, tout simplement. J'aurais dû t'enfermer dans la cave et me boucher les oreilles. »

Puis il y eut ce tableau : Anne-Lucie sur les genoux d'Alice et Lucie-Anne sur les genoux de Roger. Le ciel était bleu avec des panaches d'avions.

« Je le connais mieux que toi. Tu le sais très bien. J'ai passé des jours et des jours avec lui. Attends. Je suis allé le chercher à sa sortie de prison. Pourquoi me forces-tu à répéter ça ? Je ne te demande pas de me faire un discours, je te demande de vérifier qu'il n'a pas une arme. Fais ce que je te dis. Coucher avec lui ne doit pas te faire oublier de quoi il est capable. Combien de fois vais-je te répéter ça ? »

Maintenant, c'était l'inverse : Anne-Lucie sur les genoux de Roger et Lucie-Anne sur les genoux d'Alice.

Le ciel était tout bleu, avec de blancs panaches d'avions.

« Je sais que je suis désagréable, je le sais très bien. Je n'ai pas envie d'être agréable, ce matin. Je ne saurais pas t'expliquer pourquoi. Si j'écris? Bien sûr que j'écris. Heureusement que j'écris. Si tu m'entends, en ce moment, si tu m'as au bout du fil, c'est parce que j'écris. C'est pour ça que je respire encore. Ce n'est pas grâce à toi. »

Ce canapé avait traversé les décennies pour attester qu'écrire était la dernière chose qui restait. Qu'il n'y avait plus rien ensuite. Le 2 de chaque mois de juillet, je buvais un verre en sa compagnie.

« La troisième fois sera la bonne. Je suis désolé. Est-ce que tu m'entends? Judith, je ne cherche pas à t'effrayer mais je connais ce garçon. Bon Dieu, je connais ce garçon. »

Je lui en voulais davantage pour sa stupidité que pour son infidélité – j'aurais également apprécié que mon rival fût un peu plus âgé, rendant ainsi la situation un peu moins pénible, un peu moins obscène, tel cet infâme triangle que nous formions, me faire souffler ma femme par un type de vingt-six ans qui en paraissait à peine vingt, je n'avais jamais imaginé qu'une telle chose puisse m'arriver. Je remarquai deux paparazzis dans les dunes, flanqués de gros appareils. Sacré Roger. Voilà quelqu'un qui voyait les choses sur le long terme. Tout le contraire de Judith. Sur l'océan, le soleil semblait crépiter. Elle restait silencieuse à l'autre bout du fil.

« C'est l'ami qui te parle », ai-je fait avant de raccrocher.

*

Alice avait une position bien plus tranchée que la mienne à ce sujet. Elle estimait que Judith était pathétique. Je hochais vaguement la tête. Je la regardais emmailloter son enfant et je pouvais constater à quel point tout s'était envolé entre nous, au tréfonds, à quel point je l'avais perdue. Terrible et déroutant à la fois.

« Tu le sais très bien. J'ai honte pour elle. C'est d'un ridicule. On dirait son fils. On dirait une mère qui couche avec son fils. »

Elle était un peu énervée, car nous étions en panne de baby-sitter pour la journée. Roger avait emmené les jumelles à la plage. Le bébé pleurnichait – en attendant mieux.

Elle me jeta un coup d'œil. « Tu n'es pas d'accord ? Ça fait un peu rombière, non ? »

Les relations entre Alice et Judith avaient toujours été bonnes. Jamais excellentes. J'avais eu le temps de lire pas mal de choses sur l'accueil que réservait une fille à l'annonce du remariage de son père, et je savais que le terrain était mou, incertain, susceptible de créer des tensions.

« Le problème n'est pas là.

— On appelle ça le démon de midi. Voilà exactement de quoi il s'agit. Ne te casse pas la tête. Oublie.

— Je dois me désintéresser de son sort ? Faire comme si c'était une étrangère ?

— Je n'en sais rien. Mais quant à moi, je n'aime pas qu'on te ridiculise. »

*

De sorte qu'elle n'apprécia guère de voir Jérémie s'installer de nouveau chez lui – et Judith lui rendre visite – à moins de cinq minutes de là. « Ce n'est bon ni pour ta carrière ni pour la mienne, me déclarat-elle. Ça ne fait pas très sérieux, tu sais. »

Si je n'avais pas su pertinemment que ma fille n'avait aucun sens de l'humour, j'aurais aussitôt pensé qu'elle plaisantait.

« Elle a raison, fit Roger sans lever les yeux de son journal. Très mauvais pour votre image à tous les deux. »

Bien. Je décidai de me passer de leur compagnie à l'avenir.

*

Si bien que l'été arrivant, malgré les différentes supplications d'Alice – sur tous les tons et tous les registres, des larmes aux prières, des cajoleries aux menaces –, j'acceptai volontiers d'accueillir les deux

223

fillettes pour les vacances, mais ni elle ni Roger. Je ne les voulais plus chez moi, ni l'un ni l'autre. La page était tournée.

Alice me trouva insupportable et déclara autour d'elle que j'étais devenu un vieil écrivain irascible, capricieux, borné, intraitable, et quelquefois méchant, capable de fermer sa porte à sa propre fille, de lui interdire l'entrée de sa maison. Souvent, les vieux écrivains devenaient parfaitement invivables et j'en prenais le chemin, prétendait-elle. J'étais juste capable de m'occuper d'un chien et de tourner en rond dans une grande maison vide en noircissant des pages. Un vieil animal misanthrope.

Fort bien. Je la remerciai pour la publicité qu'elle me faisait, partant du principe qu'il valait mieux que l'on parlât de moi en mal plutôt que pas du tout. Ce n'était pas mon agent qui allait me contredire.

Dans l'heure qui suivit, j'appelai Judith à l'agence et l'informai des nouvelles dispositions que j'avais prises à l'encontre des deux indésirables. Le ciel était clair. J'ajoutai que le temps pressait et qu'il nous appartenait de régler au plus vite les détails concernant l'arrivée des jumelles.

J'étais fier d'avoir tenu bon, de n'avoir pas cédé à mes obligations paternelles – et paradoxalement, ça n'avait pas été si difficile. Plus rien peut-être, me disais-je, ne me semblerait difficile désormais.

*

Je préparai sa venue. J'aérai sa chambre deux jours durant, avant son arrivée. J'engageai une femme de ménage portugaise. Je fis venir le jardinier thaïlandais.

J'étais très content de cette expérience de vie commune que Judith et moi allions mener à l'occasion de ces vacances, de ce retour provisoire, temporaire. Très impatient, très inquiet.

Je lui avais parlé au cours du mois écoulé, mais je ne l'avais pas vue. Elle me parut en forme tandis que je la regardais descendre de sa voiture puis traverser le jardin en tailleur blanc et hauts talons bleus, complètement remise de sa blessure à présent – la balle lui avait traversé le côté de l'abdomen mais il n'y paraissait déjà presque plus. Je la trouvais impressionnante, résistante.

Je montai ses deux valises – d'une trentaine de kilos chacune – dans sa chambre.

Je voulus prononcer quelques mots à cette occasion.

« Merci », lui dis-je.

*

Anne-Lucie et Lucie-Anne s'élancèrent vers moi dès leur arrivée, aussitôt qu'elles virent le sac Petit-Bateau que je tenais sous le bras avec un sourire entendu – nous avions eu certaine discussion où elles m'avaient fait part de leur fidélité aux basiques, de leur penchant pour le coton, comme leur grand-mère.

J'étais d'excellente humeur. Judith et moi avions passé une simple mais excellente soirée ensemble – certes bien décidés, l'un et l'autre, à ce qu'il en fût ainsi, mais tout de même, rien n'était joué, rien ne pouvait nous assurer que nous étions encore capables de nous asseoir face à face, l'un de nous pouvait se lever et déclarer que c'était impossible, avec la meilleure volonté du monde, rien n'était joué – une excellente soirée tous les deux, que nous avions terminée dans la tiédeur du jardin en compagnie des lucioles.

Alice avait la tête couverte d'un foulard et portait d'énormes lunettes noires – elle n'avait rien eu à Cannes, bien qu'en piste pour un prix d'interprétation.

« Je ne vais pas te supplier, fit-elle entre ses dents après m'avoir entraîné à l'écart. Je ne vais sûrement pas me jeter à tes genoux. »

Je lui adressai un sourire tout à fait sincère. « Préservons ce qui peut encore l'être, fis-je. Ne soyons pas trop téméraires. »

Les jumelles me firent de grands signes pour m'annoncer que leurs bagages étaient en vue sur le manège.

Alice baissa la tête et s'enfonça dans un silence glacé durant quelques longues secondes. « Pourquoi elle ? » finit-elle par lâcher d'une voix méconnaissable.

J'attendis qu'elle relève la tête, qu'elle me regarde dans les yeux, mais elle demeurait immobile. « Pour mille et une raisons, Alice », lui répondis-je.

*

Certes, nous n'avions pas l'intention de nous remettre ensemble, Judith et moi, étant conscients, l'un comme l'autre, que l'on ne pouvait pas revenir en arrière et réparer ses erreurs. Mais cela ne nous empêchait pas de nous rendre service, de temps en temps, à mesure que les jours et les mois s'écoulaient. Rien ne valait de vivre en bonne intelligence. Rien ne valait une fin qui ne tendît vers un peu de lumière. Rien ne valait une fin qui ne baignât d'injuste douceur l'autre rive du roman.

*

Or, ce bel été, cet apaisement auquel je ne croyais plus, ce havre, il s'en était pourtant fallu d'un rien qu'il ne sombrât dans un chaos irréel et sanglant.

Ainsi, quelques mois plus tôt, au plus fort d'une crise que les pressions d'Alice, entre autres, ne faisaient qu'attiser – il semblait que mon honneur fût en jeu et mon honneur semblait être la chose à laquelle ma fille tenait le plus au monde ces temps-ci – j'avais fini par décider de, ma foi, de porter le fer dans la plaie et, certain minéral soir venant, je m'étais mis en route.

Un air chaud soufflait de l'intérieur des terres vers le large en grondant, des nuages s'effilochaient au-dessus de l'océan qui se couvrait d'écume, etc.

Pâle, sombre, je m'étais présenté devant la porte de Jérémie. Des pommes de pin roulaient sur la terrasse, le vent ululait dans les branches qui grinçaient et craquaient, l'horizon s'éteignait, vacillait comme un cierge blême, l'éclairage du porche provenait d'une lanterne de style 1900 qui se balançait en miaulant dans les bourrasques.

Ordinairement, c'était A.M. que je voyais s'encadrer dans cette porte, c'était à elle que je rendais visite, à elle que je venais confier mes malheurs – en buvant un verre – mais A.M. nous avait quittés et j'éprouvai un choc en découvrant Judith sur le seuil – bien que je m'attendisse à l'y trouver.

Je notai qu'elle avait un verre à la main, que ses oreilles étaient un peu rouges.

« Avoir les oreilles rouges, dans ce contexte, me semble tout à fait normal, fis-je en m'asseyant. Tes joues le sont aussi. Tout à fait normal. »

Elle baissa les yeux. « Jérémie devrait bientôt arriver.

— Quoi? Très bien. Je ne suis pas pressé. »

Elle me servit un verre. Je croisai les jambes.

Je les décroisai.

« J'ai tout mon temps », fis-je au bout de quelques minutes.

Je l'observai longuement puis lui demandai si elle

avait le diable au corps ou si elle était devenue folle, tout en me penchant vers elle et la priant de remplir mon verre.

« Les deux, je pense », me répondit-elle en ouvrant une seconde bouteille.

Je l'avais rarement vue ivre. Cela me renvoyait à quelques épisodes particulièrement joyeux ou dépressifs que nous avions connus tout au long de ces douze années de vie commune et j'en éprouvai un instant de vraie nostalgie.

Judith n'avait pas remplacé Johanna et elle avait choisi une façon moins brutale de me quitter, sans doute, mais cela se révélait tout de même assez douloureux.

Le temps était l'ennemi, la distance. Jour après jour, plus l'image de Johanna s'était estompée dans mon esprit, plus je l'avais idéalisée, plus je l'avais chargée de toutes les qualités du monde. Aucune femme ne pouvait rivaliser avec cette machine infernale. Personnellement, en tout état de cause, je n'avais rien pu y faire. Me raisonner n'avait servi à rien.

Je regardai autour de moi. « Tu as fait le ménage dans cette maison ?

— Ici ? Non, bien sûr.

— Ah. Bien.

— Oh mon Dieu.

— Quoi ?

— Oh mon Dieu.

— Bien sûr. Qu'espérais-tu ? »

Je vidai mon verre et me mis à tourner en rond tandis qu'elle se laissait glisser sur le tapis. Je m'arrêtai devant elle.

« Alice avait raison. Cette rencontre est grotesque. Ne dis pas le contraire. Où est-il, est-ce qu'on peut savoir ? »

Une fois encore, mon regard fut attiré par la photo du père de Jérémie, sur la cheminée – l'homme posait toujours en maillot devant son vélo de course –, et je ne trouvais pas étrange que cet homme au regard fuyant, au sourire vague, fût à l'origine de tout un tas d'ennuis que nous rencontrions ici.

« La viande des Grisons ? Bien sûr que j'aime ça. J'ai vécu en Suisse. Mais soyons clairs : je ne suis pas venu prendre l'apéritif. Judith. Ne commence pas à me faire peur. Attention. Nous n'allons pas nous quitter en nous serrant la main, je te le garantis.

— Il a passé son après-midi à te confectionner une tarte aux myrtilles.

— Je ne te crois pas.

— Je pense qu'il t'aime vraiment bien. Vraiment beaucoup. Tu peux aller voir dans le four, si tu ne me crois pas. »

Je retournai m'asseoir.

« Je ferais mieux de ficher le camp », fis-je après réflexion. Je secouai la tête puis me levai. J'allai inspecter le four en passant et la tarte était bien là, son odeur était là – et je vis au premier coup d'œil qu'il avait utilisé ma recette.

Une fois dehors, je respirai longuement.
Je retournai à l'intérieur.

*

« Tu ne cherchais rien ? Tu ne cherchais rien ? Comment ça, Judith ? *Tu ne cherchais rien ?* » Elle tâchait de soutenir mon regard, mais le sien finissait par chavirer.

*

Il s'était garé dans l'allée presque une heure plus tard. Judith s'était sentie beaucoup mieux après avoir vomi – *après* ayant souvent un goût d'absolution – et elle venait de vider une bouteille de Contrex quand nous l'entendîmes emboutir les poubelles rangées à l'angle du trottoir. En prêtant l'oreille, malgré le vent, j'entendis quelques bribes de musique – et il me sembla reconnaître le *All along the watchtower* de Jimi Hendrix.

« Qu'est-ce qu'il fait ? demanda-t-elle.

— Il reste assis au volant. Il est en train de boire une bière. Je me demande s'il m'a vu. »

Nous sortîmes. Je traversai le jardin sous la lune brillante, puis, comme je me penchais à la portière, côté passager, la voiture fit un bond en avant et s'immobilisa quelques mètres plus loin. Je choisis d'en rire et me redressai. « Très drôle ! » fis-je.

Au passage, j'avais pu voir son visage tuméfié et les bières sur la banquette.

« Qu'est-ce que tu as encore fait ? soupirai-je en me dirigeant de nouveau vers la voiture. Contre quoi t'es-tu encore battu, bougre d'imbécile ? »

L'auto fit un nouveau bond en avant. « Ne fais pas ça, s'il te plaît ! » lançai-je. Sa chienne sauta par la fenêtre arrière et m'accompagna en bondissant. « Nous sommes censés nous parler, Jérémie, fis-je en posant la main sur la portière. Je n'ai pas le temps de m'am… » Il faillit me l'arracher d'un coup d'accélérateur.

« Okay, fis-je en levant les bras en l'air et tournant les talons. J'abandonne. »

Je ramassai Judith en chemin, la saisissant par le coude tandis que Jérémie virait sur les chapeaux de roue pour arriver à notre hauteur.

« Hé ! » fit-il.

Je ne répondis pas, je ne lui accordai pas la moindre attention. Je marchais en tenant fermement Judith – de peur qu'un instant de faiblesse ne la fît repasser dans le camp de son jeune amant, mais elle ne m'offrait qu'une vague résistance.

« *Hé !!* » lança-t-il de nouveau en freinant brusquement tandis que nous bifurquions dans le jardin.

Un assourdissant coup de feu nous glaça sur place. Je croisai le regard de Judith. Je ne lui en voulais pas davantage que je ne m'en voulais à moi-même, très sincèrement, mais tant de stupidité de notre part, tant de naïveté, tant d'inconséquence, tant d'imprudence aussi, confondait. Jérémie avait *un flingue* entre les mains. Ce même garçon qui avait braqué une station d'essence, qui s'était tranché les veines, qui s'était tiré une balle en pleine poitrine, ce garçon-là, ce Jérémie-là et pas un autre, avait de nouveau une arme entre les mains et je gageais qu'il était pratiquement saoul. Je pestai entre mes dents.

Il sortit de sa voiture comme un diable hors de sa boîte et fonça droit sur nous. Tee-shirt déchiré, visage en piteux état, arête du nez ouverte, œil poché, gonflé, luisant – sans doute, selon moi, la plus solide raclée qu'il avait prise depuis qu'il pratiquait ce sport. Dans son dos, quelques éclairs lointains illuminaient les Trois Couronnes.

Il tomba à genoux devant Judith comme un misérable aux pieds de la Sainte Mère. J'augurais de forts pénibles instants à venir si l'on s'engageait dans cette voie – il allait devoir apprendre que se jeter aux pieds d'une femme ne garantissait de rien. C'était une de ces terribles leçons de la vie, selon les mœurs occidentales.

Or un second coup de feu éclata et nous fûmes éclaboussés de sang et autres substances plus épaisses, elle et moi. Jérémie tomba à la renverse. Puis Judith à son tour, qui ouvrant de grands yeux désolés découvrait qu'elle s'était trouvée sur la mauvaise trajectoire.

*Achevé d'imprimer
sur Roto-Page
par l'Imprimerie Floch
à Mayenne, le 23 décembre 2008.
Dépôt légal : décembre 2008.
Numéro d'imprimeur : 72462.*

ISBN 978-2-07-077462-3 / Imprimé en France.

136726